D0323935

Wilhelm Genazino

Die Liebesblödigkeit

Roman

Carl Hanser Verlag

7 8 9 10 09 08 07 06 05

ISBN 3-446-20595-0

Satz: Satz für Satz. Barbara Reischmann, Leutkirch
Druck und Bindung: Ebner & Spiegel, Ulm
Printed in Germany

Die Liebesblödigkeit

1

Ich betrachte eine junge Mutter, die sich eine Daumenspitze anfeuchtet und ihrem kleinen Kind einen braunen Fleck auf der rechten Wange wegreibt. Das Kind schließt die Augen und hält der Mutter ruhig das Gesicht hin. Danach folge ich einer offenbar verwirrten Frau, die kurz nacheinander drei halbvolle Mülltonnen umwirft und dabei halblaut schimpft, dann aber umkehrt und die Mülltonnen wieder aufstellt. Zwei Halbwüchsige springen mehrmals auf die untere Plattform einer Rolltreppe, um sie zum Stillstand zu bringen. Aber die Rolltreppe leistet Widerstand und bleibt nicht stehen. Die beiden Jungen verhöhnen dafür die Rolltreppe und ziehen dann weiter. Wieder tritt die Frage an mich heran, ob ich mich für das, was um mich herum geschieht, interessieren soll oder nicht. Über die Breite einer ganzen Schaufensterscheibe steht mit großen weißen Buchstaben: Zwei Pizzen zum Preis von einer. Ich überlege, ob ich mit Sandra oder Judith dieses Lokal besuchen soll. Aber Sandra mag keine Pizzen und Judith keine Steh-Lokale. Gegen meinen Willen denke ich im Weitergehen über das Pizza-Angebot nach. Es kann nur funktionieren, wenn man gerade jemanden bei sich hat, der zufällig ebenfalls Hunger und außerdem ein bißchen Zeit und nichts gegen diese Pizzeria, das heißt vor allem nichts gegen die fürchterliche Musik einzuwenden hat, die aus der offenen Tür auf die

Straße herausdröhnt. Diese Voraussetzungen treten vermutlich niemals gleichzeitig ein. Ein Scheinangebot! denke ich still triumphierend und vergesse die Pizzeria. Ich schaue einem Sightseeing-Bus nach und belustige mich ein bißchen über ihn. Unsere Stadt glaubt, sie sei sehenswert, und läßt in den Sommermonaten zwei oder drei richtige Doppeldecker-Busse durch die Straßen fahren. Erstaunlich ist, daß es pro Fahrt immer wieder vier oder fünf Personen gibt, die sich tatsächlich auf den Oberdecks der Busse verteilen und das Spiel mitmachen. Offenbar fällt niemandem auf, daß es pro Rundfahrt zwischen sechzig und siebzig frei bleibende Bus-Plätze gibt, die den Anspruch der Sehenswürdigkeit genauso still verhöhnen, wie ich ihn bemerke. Ein kurzsichtiger Mann geht dicht an mir vorüber und zählt das Kleingeld in seiner Hand. Ein anderer Mann, der an einem Brötchen kaut, hat plötzlich keine Lust mehr am Essen und legt das halb aufgezehrte Brötchen auf einem Fenstersims ab. Mich fesselt eine verwahrloste Frau, die neben dem Eingang eines Kaufhauses steht und junge Katzen verkauft. Zwei Tiere trägt sie auf der Armbeuge, weitere Tiere befinden sich in einem Karton, der zu ihren Füßen steht. Ein ebenfalls verwahrlostes Kind hält den Deckel des Kartons zu. Zwei größere Kinder tun so, als seien sie behindert. Sie legen ihre nach vorne gestreckte Zunge auf die Unterlippe und lallen dazu. Sie können die Verstellung nicht lange durchhalten, dann brechen sie in Gelächter aus. Ich weiß nicht, warum mich die Kinder an meinen ersten Schultag im Gymnasium erinnern. Bevor der Unterricht losging, trat damals eine Ärztin vor die Klasse und sagte, daß wir untersucht werden. Sie rief die Kinder in alphabetischer Reihenfolge auf und griff jedem Jungen in die Hose. Sie griff am Penis vorbei und suchte nach den Hoden. Denn sie mußte nachprüfen, daß die Hoden richtig nach außen getreten waren und ordentlich in dem für sie vorgesehenen Säckchen lagerten. Zwei Jungen (einer von ihnen war ich) fielen in Ohnmacht, vermutlich deswegen, weil wir so den Nachforschungen der Ärztin aus dem Weg zu gehen hofften. Tatsächlich durften wir uns eine Weile auf eine Bank legen und schienen gerettet. Aber als wir wieder zu uns kamen, öffnete uns die Ärztin unter den Blicken der Klasse den Hosenladen und überprüfte, jetzt sogar bei heruntergelassenen Hosen, per Augenschein die Lage unserer Hoden. Ich frage mich, warum mein Gedächtnis diese Szene aufbewahrt hat. Sandra hat mir am Telefon den Auftrag gegeben, ich solle ein paar Pfirsiche, ein Viertel spanische Salami und ein kleines Weißbrot mitbringen. Ich werde den heutigen Abend und die Nacht bei Sandra verbringen. Sandra wird wie üblich kochen, wir werden zusammen essen und plaudern, dann ein wenig fernsehen und früh ins Bett gehen.

Sandra ist dreiundvierzig Jahre alt, sie ist einen Kopf kleiner als ich, sie hat dunkle Augen und kurzgeschnittenes Haar, eine gute Figur und eine ausreichende Bildung, die sie jedoch als mittelmäßig empfindet. Sandra ist mitteilsam, glaubt jedoch, sich nicht ausdrücken zu können, worüber ich mich amüsiere. Sie ist Chefsekretärin und arbeitet jeden Tag zwischen acht und neun Stunden lang und leidet nach eigener Aussage nicht unter ihrer Arbeit. Es gefällt ihr, daß sie in ihrer Position so gut wie alles über die Mitarbeiter des Betriebs (einer kleinen Fabrik für Sanitärgeräte) weiß und daß sie zuweilen selber Entscheidungen treffen darf, die für alle Mitarbeiter bindend sind. Wir kennen uns seit dreiundzwanzig Jahren, allerdings mit Unterbrechungen. Als wir uns zuerst begegneten, waren wir noch sehr jung, und zu Beginn gab es eine Zeit, in der wir beinahe geheiratet hätten. Aber dann stellte sich heraus, daß Sandra Kinder haben wollte, und an diesem Konflikt scheiterte nicht unsere Zuneigung, wohl aber das weitere Zusammenbleiben. Ich hatte und habe keine Neigung, Nachkommen zu zeugen. Sandra verließ mich nach zwei Jahren bitterer Auseinandersetzungen und heiratete bald darauf einen Elektrotechniker. Rasch bekam sie einen Sohn und blieb sechs Jahre verheiratet. Noch während ihrer Ehe trafen wir uns wieder und wurden erneut ein (heimliches) Paar. Sandras längst erwachsener Sohn ist heute mit einer Krankenschwester verheiratet und besucht seine Mutter zu selten, findet Sandra. Zu ihrem früheren Ehemann hat Sandra kaum noch Kontakt und wünscht auch keinen.

Ich betrete ein Kaufhaus und fahre mit der Rolltreppe nach unten in die Lebensmittelabteilung. (Bis heute durchweht mich, wenn ich die Hodenuntersuchung erinnere, die Scham von damals. Die Geschichte ist belanglos geworden, aber die Scham ist immer frisch. Wo nimmt die Scham ihre Lebendigkeit her? Es ist, als würden sich die Gefühle von ihren Erlebnissen lösen und selbständig weiterleben.) Ich kaufe ein Viertel Paprikawurst und ein kleines Brot. Bei einer jungen Verkäuferin verlange ich ein Kilo der schönen rot-gelben Pfirsiche, die genau unter einem hellen Punktstrahler liegen. Die Verkäuferin fragt zurück: Wollen Sie gelbfleischige oder weißfleischige Pfirsiche?

Ich verstehe die Frage nicht und stutze. Die Verkäuferin wiederholt ihre Frage. Um das Problem aus der Welt zu schaffen, deute ich mit dem Zeigefinger auf die von mir gemeinten Pfirsiche.

Ahhh, macht die Verkäuferin, also die weißfleischigen.

Ahhh, sage ich, von diesen Neuerungen weiß ich nichts.

Aber weißfleischige Pfirsiche gibt es doch seit meiner Jugend, sagt die Verkäuferin lachend.

Ja, sage ich, seit *Ihrer* weißfleischigen Jugend! In meiner schon leicht angegilbten Jugend hat man diesen Unterschied noch nicht gekannt.

Es gefällt der Verkäuferin, daß ich vor ihr und den anderen Kunden ihre Jugend betont habe. Lachend packt sie die Pfirsiche ein. An meiner Antwort erkenne ich, daß ich guter Laune bin und mich auf den Abend mit Sandra freue. Trotzdem verstehe ich nicht, warum ich vor fremden Leuten auf mein Alter hinweise. Mit meinen zweiundfünfzig Jahren bin ich gewiß nicht mehr jung, aber auch noch nicht so alt, daß ich öffentlich auf meine Vergänglichkeit anspielen sollte. Ich weiß nicht, warum ich mich zu solchen Bekenntnissen hinreißen lasse. Wieder (wie in letzter Zeit öfter) habe ich das Gefühl, daß ich mich ohne Not unwürdig darstelle. Ich nehme die Pfirsiche an mich und verlasse das Kaufhaus.

Eine halbe Stunde später fragt mich Sandra im Stil einer langjährigen Ehefrau: Na, wie war dein Tag? Ich antworte wahrheitsgemäß, daß ich heute mehr gearbeitet habe, als ich von mir habe erwarten können. Dann setz' dich hin und ruh' dich aus, sagt Sandra. Ich folge ihr in die Küche. Sandra steht im Unterrock am Herd. Das heißt, obenrum trägt sie eine dünne Wollweste. Sandra weiß, daß ich sie gern im Unterrock herumwirtschaften sehe. Knapp unterhalb ihres linken Ohrs wächst ihr ein einzelnes, langes dunkles Haar, das Sandra nicht entfernt. Später, im Bett, wenn ich das Haar auf der weißen Bettwäsche werde liegen sehen, wird es mich beeinträchtigen. Auch bei Sandra zeigt sich das Älterwerden. Zum Beispiel bewahrt sie jetzt Gegenstände, die sie früher ohne Überlegung weggeworfen hat (eine leere Keksdose, gebrauchtes Geschenkpapier, nichtssagende Urlaubspostkarten) sorgfältig auf. Sandra kocht einen Risotto mit wunderbar frischen Meeresfrüchten. Sie gibt mir eine Flasche Weißwein zum Öffnen und stellt zwei Gläser auf den Tisch. Später erzählt mir Sandra die neuesten Turbulenzen aus dem Leben eines schwulen Kollegen. Dieser wohnt neuerdings mit einem erheblich jüngeren Schwulen zusammen und wird von diesem laufend betrogen. Ich höre diesen Geschichten mit mäßigem Interesse zu, muß allerdings zugeben, daß sie mich in eine lebenszugewandte Stimmung versetzen, die ich, wenn ich allein bin, nicht so ohne weiteres zustande bringe. Nach zehn Minuten lache auch ich über die Schwulen und ihren merkwürdigen Zwang, so gut wie täglich über ihr Intimleben zu reden. Nach dem Essen nimmt Sandra ihr Dessert-Tellerchen (mit einer Portion Cassata) und geht ins Zimmer nebenan. Sie will im Fernsehen einen Film über Mischehen sehen. Sie ruft mir zu, ich solle neben ihr Platz nehmen. Tatsächlich schaue ich mir den Film über Mischehen an, obwohl mich das Problem sowenig interessiert wie die Eifersucht schwuler Männer. Doch mein Unwille bleibt unerheblich. Nach dem Mischehen-Film will Sandra auch noch einen Film über brasilianische Kinderbanden sehen. Das wird mir zuviel. Ich sage, daß ich mich schon mal nebenan ins Schlafzimmer begebe. Sandra ist über diese Abendgestaltung nicht beunruhigt, sie ist zwischen uns seit langer Zeit eingespielt. Im Grunde weiß ich bis heute nicht, wie man mit einem vertrauten Menschen einen ganzen Abend verbringt. Ich verberge meine Ratlosigkeit, indem ich mich dem von Sandra eingeführten

Schema unterwerfe. Sandra krault mir liebevoll die Kniekehlen und sagt, daß sie gleich nachkommen wird. Nach weniger als fünf Minuten habe ich mir die Zähne geputzt und liege im Bett.

Sandra lebt in einer Altbauwohnung, und in ihrem Schlafzimmer befindet sich neben der Tür ein wuchtiges Waschbecken. Es stammt aus der Zeit, als die meisten Wohnungen noch kein eigenes Badezimmer hatten. Sandra fühlt sich durch den Anblick des Waschbeckens gestört, aber der Hausbesitzer duldet seine Entfernung nicht. Sandra hat wenig Verständnis für die Eigentümlichkeiten von Wohnungen. Sie schimpft, weil die Küche nicht genauso warm wird wie das Wohnzimmer, weil die Balkontür klemmt und weil die Toilettenspülung zu langsam ist. Der Gedanke, daß Wohnungen genauso fehlerhaft sind wie Menschen und daß man ihr Ungenügen deswegen tolerieren muß, ist Sandra fremd. Ich neige dazu, mich an Mängel zu gewöhnen. Es macht mir Vergnügen, die Analogien zwischen den Mängeln der Dinge und den Mängeln der Menschen fortlaufend zu beobachten. Sandra gegenüber muß ich verschweigen, daß ich das Waschbecken in ihrem Schlafzimmer sogar für eine Bereicherung halte. Morgens und abends kann ich Sandra vom Bett aus dabei zuschauen, wie sie sich wäscht. Immer wieder wundere ich mich, daß sie sich obenrum zart, untenrum jedoch mit heftigen, ja stoßartigen Bewegungen zu Leibe rückt. Durch die beiden Waschvorgänge fällt die Person für den Betrachter gewissermaßen auseinander. Ich kann sagen, obenrum wäscht sie sich wie eine junge, untenrum wie eine ältere Frau. Wobei ich mir nicht erklären kann, *wie* die Verlaufsbilder es schaffen, die Person beziehungsweise die Lebensalter so deutlich zu trennen. Nebenan wird der

Fernsehapparat abgeschaltet. Sandra vergewissert sich, daß ich noch nicht eingeschlafen bin, und wäscht sich flüchtig. Wir sind in einem Alter, in dem man manchmal vögelt, um hinterher schnell einschlafen zu können. Vergleichsweise häufig sind wir zusammen, um Sandras Ängstlichkeiten zu zerstreuen. Sie fürchtet, nicht mehr begehrenswert zu sein. Aus diesem Grund ist sie fast immer beischlafwillig. Mit zwei zärtlich überprüfenden Handgriffen überzeugt sich Sandra wenig später, daß ich geschlechtsbereit bin, und nimmt die Brückenhaltung ein. Ich knie mich hinter sie, Sandra sinkt mit dem Kopf in die Kissen. Eine Minute lang haben wir keine Probleme, dann greift ein schmerzhafter Krampf in mein linkes Bein und zwingt mich, mich von Sandra zu lösen. Ich verlasse das Bett, verlagere das Körpergewicht auf das verkrampfte Bein und gehe mit durchgedrückten Knien eine Weile im Schlafzimmer umher. Sandra läßt ihren Körper flach auf das Bett absacken. Nach einer halben Minute läßt der Schmerz nach, verschwindet aber nicht ganz. Sandra schaut mir wortlos zu, dann stemmt sie ihren Körper in die Brückenstellung zurück. Es rührt mich, wie offen Sandra zeigt, daß sie mit einer Fortsetzung des Beischlafs rechnet. Aber meine Stimmung ist dahin, außerdem fürchte ich eine Wiederkehr des Krampfs. In diesen Augenblicken wirft sich Sandra ihr Nachthemd über. Ich soll mich mit dem Bauch auf das Bett legen, sagt sie. Ich folge ihr. Sandra setzt sich auf den Bettrand und massiert mir die Waden und die Rückseiten der Schenkel. Vor meinen Augen verwandelt sich Sandra von einer Geliebten in eine Krankenschwester. Tatsächlich verliert sich langsam das Gefühl der Muskelverzerrung. Du solltest mal zum Arzt gehen, sagt Sandra. Gegen Krämpfe kann man nichts machen, glaube ich. Es geht nicht nur um Krämpfe, sagt Sandra, du solltest auch mal deine Blutwerte untersuchen lassen. Es erstaunt mich, daß Sandra über den mißratenen Beischlaf kein Wort verliert. Sie verhält sich, als hätte sie mit derlei Zwischenfällen schon länger gerechnet. Ich drehe mich auf die Seite, Sandra legt sich hinter mich und streichelt mir den Rücken. Hast du Schmerzen? fragt sie leise. Nein. Ich gestehe mir ein, daß ich diesen Stil des Umgangs zwischen Mann und Frau für unüberbietbar halte. Ich merke nicht, wer von uns beiden zuerst einschläft. Nach drei Stunden wacht Sandra auf, verläßt das Bett, holt sich in der Küche einen Butterkeks und kehrt ins Bett zurück. Im Halbschlaf kriege ich mit, daß sie neben mir liegt und langsam den Keks zerkaut (ihre Angewohnheit). Ich höre dem Kauen eine Weile zu und schlafe wieder ein. Ich verbringe eine Nacht ohne Störungen und Alpträume. Frühmorgens, gegen halb sechs, fast gleichzeitig mit der ersten Dämmerung, öffne ich die Augen. Mein Geschlecht ist vor mir wach, ich dränge mich an Sandra heran, sie versteht sofort. Eine halbe Minute später stecken wir ineinander. Ich weiß momentweise nicht, wofür ich dankbarer sein soll, über den verschwundenen Krampf oder über unsere Heftigkeit am frühen Morgen. Nach dem Vögeln schiebe ich Sandras Nachthemd wieder über ihren Hintern. Dieser Vorgang amüsiert Sandra jedesmal. Es ist, als wolltest du meinen Hintern wieder ordentlich in einer Schublade verstauen, sagt sie. Ein bißchen ist es auch so, sage ich, die guten Dinge muß man ordentlich verwahren. Sandra steigt lachend aus dem Bett und bereitet das Frühstück zu.

Es gefällt mir, wenn ich nach einer Nacht bei Sandra frühmorgens nach Hause gehe. Jedesmal habe ich das Gefühl, ich sei lange weg gewesen und kehre nach glücklich überstandenen Abenteuern zurück. Ich habe eine starke Empfindung von Freiheit, die wegen ihrer Heftigkeit ein bißchen lächerlich ist. In den Grünanlagen schaue ich nach Wacholderdrosseln. Ich suche nicht wirklich, ich will nur das Wort Wacholderdrossel ein paarmal denken. Statt dessen sehe ich schönen Klatschmohn auf einem Geröllhaufen. Die sanftroten Blüten wehen leicht hin und her. Ich durchstreife den Innenstadtbereich und erschrecke über die heruntergelassenen Stahlrolläden einer Bank. Ich ermahne mich, mich mehr für Wirtschaft und Globalisierung zu interessieren. Viele meiner Bekannten sagen, wir hätten eine Bankenkrise, die viel gefährlicher sei als eine gewöhnliche Wirtschaftskrise. Man hat jetzt Mitleid mit den Banken, das hat es in meiner Jugend nicht gegeben. Ich bin altmodisch, mein Mitleid gehört nach wir vor den Leuten, die von den Banken entlassen werden. Im Eingangsbereich der geschlossenen Bank haben sich einige Obdachlose angesiedelt. Handelt es sich vielleicht um gefeuerte Bankangestellte? Sie suchen sich solche windgeschützten Plätze, wo sie nicht vertrieben werden und wo es in der Nacht nicht völlig dunkel wird. Ich gehe an den schon angerosteten Stahlrolläden vorbei und empfinde wieder nicht das geringste Interesse für die Bankenkrise. Die Obdachlosen liegen herum, als würden sie schon immer hier herumliegen. Es fällt auf, daß jeder frei gewordene Platz sofort von nachrückendem Leben in Beschlag genommen wird. Einer der Obdachlosen spielt mit der Hand im Fell seines Hundes, ein anderer spuckt Tabakkrumen aus. Von den Bildern gehen eigenartige Verstummenseffekte aus, die jetzt sogar in mein Innenleben eindringen. Ich wehre sie ab, indem ich zwei hellen Kinderstimmen folge. Es ist wahrscheinlich kein Zufall, daß ich jetzt fürchte, ich werde eines Tages meine Uhr verlieren. Ich trage sie nicht mehr am Armgelenk, ich stecke sie in die Anzugtasche, wo sich schon mein Schlüsselbund, ein bißchen Geld, ein Taschentuch und ein kleiner Anstecker befinden, der eigentlich Sandra gehört. Eines Tages, wenn ich vor irgend etwas fliehe, werde ich nach meinem Taschentuch greifen und dabei versehentlich meine Uhr herausschleudern. Ich eile durch vermurkste Seitenstraßen, ich bemühe mich, abstoßenden Möbelgeschäften und ekligen Billigmärkten nicht zu nahe zu kommen. Eine Frau geht an einer Drogerie vorüber und faßt die draußen aufgestellten Sonderangebote an. Ich schaue ihr dabei zu, wie sie kurz nacheinander einen Vorteilspack Kindercreme, einen Waschhandschuh, ein Päckchen Puffreis, eine Packung Spritzgebäck, eine Strumpfhose und einen Zwölferpack Teelichter mit den Fingerspitzen berührt. Ich betrachte die Leute, die zu bequem oder zu faul oder zu traurig sind, sich zu Hause ein Frühstück zu machen. Mit verhangenen Gesichtern sitzen sie hinter einer Tasse Kaffee und bittern leise vor sich hin. Personen, die schon morgens mehr als zwei volle Plastiktüten herumtragen, wirken ordinär. Speckige Säuglingsbeine baumeln wie Weißwürste aus den Tragetüchern ihrer Mütter. Rosa Blüten fallen von den Kastanien herunter. Ich fühle mich frei; ich merke es daran, daß ich mit niemandem und nichts innerlich abrechnen muß. Ich finde es bemerkenswert, wie elegant und beinahe unbemerkt ich mich selber beschwindle. Denn alles, was ich im Augenblick über Freiheit und Liebe denke, stimmt nicht ganz. Wie so oft, wenn ich über diese Themen nachdenke, fühle ich einen Moment der Schwäche. Ich betrete deswegen ein Café und verlange einen Cappuccino. Es gibt jemanden, mit dem ich abrechnen muß, und das bin ich selbst. Es plagt mich das Gefühl, daß ich rasch altere und meine Verhältnisse klären muß. Damit meine ich ausschließlich meine Liebesverhältnisse. Immer wieder stelle ich mir die grauenhafte Szene vor, daß ich vielleicht demnächst in einem Krankenhaus liege und gleichzeitig von den beiden Frauen besucht werde, die ich seit vielen Jahren liebe und die voneinander nichts wissen. Diese Konfrontation muß unbedingt verhindert beziehungsweise ausgeschlossen werden: indem ich mich von einer der beiden Frauen trenne. Schon im nächsten Augenblick weiß ich, daß ich eine elegante Regelung nicht schaffe, und übe Ausweich-Sätze: Ihr müßt verstehen, daß ich euch beide liebe! Dann denke ich: Auch dieser Satz ist nicht menschenmöglich. Links von mir sagt ein Kind: Mama! Jedesmal komme ich zu spät zur Musikstunde! So kann es nicht weitergehen! Die Mutter sieht nur auf, das Kind spielt weiter. Die Klage des Kindes tröstet mich. Schon das Leben der Kinder kann *so* nicht weitergehen! Aber wo ist das Leben, das so weitergehen darf, wie es gerade ist? Rechts von mir packt eine Frau einen neuen Schlafanzug aus und legt die Schlafanzugjacke dem Mann neben ihr auf die Vorderseite seines Oberkörpers. Trotz der Lächerlichkeit, die der Mann in diesen Augenblicken sowohl erleidet als auch ausstrahlt, beneide ich ihn um die Besorgtheit der Frau. Ich denke an Judith. Vermutlich sitzt sie gerade in einer Straßenbahn und fährt in die Vororte. Judith ist mir genauso unverzichtbar wie Sandra, obwohl sie in vieler Hinsicht das vollkommene Gegenteil von Sandra ist. Die Bedienung bringt den von mir bestellten Cappuccino und kassiert ihn gleich ab. Judith ist einundfünfzig, das heißt, sie ist fast so alt wie ich. Ich kenne sie nicht ganz so lange wie Sandra. Bis vor etwa zehn Jahren arbeitete Judith zunehmend verdrossen, aber unermüdlich an ihrer Karriere, dann gab sie auf. Judith ist gescheiterte Konzertpianistin. Kurz vor ihrem vierzigsten Geburtstag nahm sie endgültig hin (endgültig!), daß sie von jüngeren (und vermutlich talentierteren) Musikern überrundet worden war und außer ein paar gelegentlichen Auftritten in der Provinz keine Öffentlichkeit mehr zustande brachte. Seit diesem Schlußstrich hält sich Judith mit Nachhilfestunden über Wasser. Latein, Englisch, Französisch; außerdem gibt sie Klavierstunden. Sie arbeitet täglich mindestens sechs Stunden, manchmal sieben oder acht. Die Wohnungen der Schüler (Jungen und Mädchen zwischen acht und zwölf Jahren und ambitionierte Hausfrauen) sind ihre Arbeitsorte. Sie liegen teilweise weit auseinander, so daß Judith lange Strecken zurücklegen muß und am Abend so kaputt ist wie eine Fabrikarbeiterin.

Ich trinke meine Tasse leer und verlasse das Café. Kurz darauf sehe ich einen entfernten Bekannten von mir, den Panik-Berater Dr. Ostwald. Auch er entdeckt mich, er winkt über die Straße, ich winke zurück. Er ist Hobbysegler und hat mich vor etwa drei Wochen wieder einmal zu einer Segeltour eingeladen. Ich wollte ihn ein für allemal abwimmeln und erzählte in lockerer Manier, daß ich zwei Frauen liebe und deswegen keine Zeit für Hobbys habe. Ich hätte besser den Mund gehalten. Dr. Ostwald erkannte sofort den Problemgehalt meiner Antwort und bot mir eine Konfliktlockerungsbehandlung an. Das ist nicht weiter schlimm, Dr. Ostwald würde am liebsten alle Menschen behandeln. Ich erhöhe mein Tempo, obwohl ich auch nicht möchte, daß Dr. Ostwald meinen Fluchtimpuls bemerkt. Er unterhält in der Schillerstraße eine gutgehende Problempraxis. Zu ihm kommen »panifizierte Personen« (sein Ausdruck), die mit ihren »Lebenswiderfahrnissen« (sein Wort) nicht mehr zurechtkommen. Die Kräfte des Menschen reichen nicht aus, sein Leben zu ordnen, sagte er mir vor etwa drei Wochen. Und: Im Unglück hat der Mensch keine Ideen. Ich schwieg bedeutungsvoll, er redete weiter. Es kommt darauf an, so zu leben, daß ein erhöhter Ordnungsbedarf gar nicht erst entsteht. Ich wollte an dieser Stelle lachen, aber ich beherrschte mich. Es ist das Unglück der Menschen, daß sie ihre Probleme für lösbar halten. Vermutlich sollten mich diese Sätze provozieren. Ich glaube, Dr. Ostwald hat bemerkt, daß ich ihm aus dem Weg gehen möchte. Im Prinzip mache ich mich über ihn gerne ein bißchen lustig, obwohl ich seine Arbeit nicht für völlig überflüssig halte. Mit ein paar Blicken in eine große Schaufensterscheibe vergewissere ich mich, daß Dr. Ostwald verschwunden ist. In den ersten Jahren hatte ich öfter Angst, daß mich Sandra mit Judith oder Judith mit Sandra überraschen würde. Erst später ist mir aufgefallen, daß beide Frauen in voneinander abgetrennten Welten leben, deren Berührung ich nicht fürchten muß. Sandra verbringt ihre Tage im Büro, Judith ist täglich außer sonntags mit Bussen und S-Bahnen unterwegs. Wir sind nicht mehr jung, das heißt, wir haben schon vor langer Zeit aufgehört, das Glück in Lokalen, Kinos oder auf Tanzfesten zu suchen. Vielmehr sind wir vom Ablauf des sogenannten normalen Lebens am Abend ermüdet und erholen uns in unseren Wohnungen. Es kommt selten vor, daß Judith oder Sandra bei mir übernachten. Es gibt dafür keinen besonderen, sondern nur den allgemeinen Grund, daß meine Wohnung – ich will es mal so ausdrücken – den empfindsameren Ansprüchen von Frauen nicht standhält. Weder Sandra noch Judith neigen zu Mißtrauen oder Argwohn. Es ist schon sehr lange her, daß Sandra spätabends mit einem Anruf kontrollierte, ob ich wirklich zu Hause war oder ob ich mich am Telefon so merkwürdig verhalte, daß sie auf die Anwesenheit einer anderen Frau hätte schließen können oder müssen.

2

In meiner Wohnung ziehe ich mich aus und dusche. Die Hose lege ich auf den Kühlschrank, das Hemd werfe ich über den Fernsehapparat. Es gehört zu meiner Freiheit, daß jetzt keine Frau erscheint und Hose und Hemd ordentlich aufräumt. Nach dem Duschen sehe ich, daß die Hose vom Kühlschrank heruntergerutscht ist und ausdrucksvoll wie eine kleine dunkle Stoffhalde gegen die Tür des Kühlschranks lehnt. Auch jetzt erscheint keine Frau und hebt die Hose auf oder fragt, warum ich es nicht selber tue. Ich könnte die Frage nicht beantworten. Oder vielleicht doch. Die Hose beginnt in diesen Augenblicken, mir meine eigenartig zusammengewürfelte/zusammengehauene/zusammengeklumpte Lebensgeschichte zu erzählen. Eine Weile höre ich zu, dann mag ich nicht mehr. Mein Leben fasziniert mich, aber nachdem es mich eine Weile fasziniert hat, langweilt es mich plötzlich. So ist es immer wieder! Manchmal komme ich mit dem Umschlag von der Faszination in die Langeweile zurecht, manchmal nicht. Mit Judith könnte ich über die Erzählung der am Boden liegenden Hose sprechen, mit Sandra eher nicht. Sandra würde erschrecken und hätte über den Schreck hinaus keinen Einfall. Judith ist der Kunst, dem Denken und der Reflexion hingegeben. Sie setzt sich immer mal wieder irgendwohin und sinnt einer ästhetischen Erfahrung nach, die sie vor drei Tagen oder vor drei Jahren gemacht hat. Zu meiner unseligen Widersprüchlichkeit gehört, daß ich mir jetzt vorstelle, wie schön es wäre, wenn ein wohlgesonnener Mensch (Sandra! Judith!) mich in meiner Wohnung empfangen hätte. Ich erinnere mich an die Zeit, als ich vor elf Jahren in diese Wohnung einzog. Sandra besuchte mich schon am ersten Abend und forderte mich ohne Zögern zu einem Sofortbeischlaf auf. Später erzählte sie mir, daß sie damals weder Begierde noch Lust empfand, sie wollte nur ein Zeichen der Inbesitznahme der Wohnung setzen. Danach war die Wohnung, glaubte sie, ihr Territorium. Diese Annahme rührt mich und nimmt mich noch heute für Sandra ein. Ich kann die dauerhafte Liebe zu zwei Frauen nur empfehlen. Sie wirkt wie eine wunderbare Doppelverankerung in der Welt. Man wird mit Liebe gemästet, und das ist genau das, was ich brauche. Die Liebe zu zwei Frauen ist weder obszön noch gemein noch besonders triebhaft oder lüstern. Sie ist im Gegenteil völlig normal (und normalisierend), sie ist eine bedeutsame Vertiefung aller Lebensbelange. Ich vergleiche sie oft mit der Elternliebe. Niemand hat je gefordert, daß wir nur die Mutter oder nur den Vater lieben dürfen. Im Gegenteil, alle Welt verlangt von uns, daß wir Mutter *und* Vater lieben, und zwar gleichzeitig und stets heftig und ein Leben lang oder sogar länger. Wehe, wenn wir in der Liebe zum einen oder anderen nachlassen! Immer wieder frage ich mich, warum uns in dem einen Fall eine Doppelliebe möglich sein soll, während sie in dem anderen Fall untersagt ist. Mir jedenfalls ist das Bewußtsein dafür, daß mein Sexualleben polygam genannt wird und nach den herrschenden Auffassungen niederträchtig ist, im Laufe der Jahre abhanden gekommen. Wenn ich längere Zeit mit nur *einer* Frau Umgang habe (weil Sandra verreist ist oder weil Judith alleine sein möchte), erleide ich prompt die Zustände der Verlassenheit und des Ausgeliefertseins, das heißt, es ergreift mich das Dauerleiden aller Monogamen.

Daß ich mit der Dreierkonstellation dennoch hadere, hat einen äußerlichen und deprimierenden Grund. Ich muß mir darüber klarwerden, daß ich früher oder später nicht mehr die Wendigkeit, die Lust und vermutlich auch nicht mehr die Kraft zu einer Polygamie in drei Wohnungen haben werde. Ich muß seit einiger Zeit an den Niederschlägen und Schwachheiten des Alterns teilnehmen. Das bedeutet, daß ich mich für eine Frau werde entscheiden müssen, mit der ich dann auch zusammenziehen will. Fühle ich mich mehr zu Sandra oder mehr zu Judith hingezogen? Die Antwort ist: Ich bin verstimmt, weil ich eine Lebensentscheidung treffen soll. Prompt fange ich an, Sandras und Judiths Vor- und Nachteile gegeneinander aufzurechnen. Ich weiß, das Frauenvergleichen ist widerlich und sogar geschmacklos. Aber das Vergleichen ist unterhaltsam! Ich gehe in der Wohnung umher und halte (zum Beispiel) Judith stumm vor, daß sie so gut wie nie kocht, weil sie zuviel aushäusig arbeitet und durch das Kochen die Wohnung mehr und mehr den Geruch einer Kantine annimmt (argumentiert Judith). Da auch ich nur selten koche, treffen wir uns dann und wann mittags zum Essen in einem Kaufhaus-Kasino oder in einem Bistro (wo Sandra niemals hingeht). Zwei Atemzüge später werfe ich Judith außerdem vor, daß sie auf der Straße nicht geküßt werden will. Sandra hingegen möchte immer und überall und ganz besonders auf der Straße geküßt werden. Sie will auch vor anderen Menschen eine geküßte Frau sein, weil sie im öffentlichen Kuß das Zeichen einer Wahl und einer

Bevorzugung sieht. Im Wohnzimmer trete ich aus Versehen auf den Staubsauger, der seit Tagen seitlich neben dem Sofa liegt. Der Plastikgriff bricht sofort ab. Ich ärgere mich, weil ich einen neuen Staubsauger kaufen muß, gleichzeitig bin ich froh, daß ich mit dem Frauenvergleichen jetzt aufhören kann. Kurz vorher belobige ich Sandra noch einmal, daß sie sich so schnell in eine hilfsbereite Krankenschwester verwandelt hat. Mein (zur Zeit) zensierendes Bewußtsein erteilt Sandra dafür die Note Eins. Mehr aus Versehen schaue ich auf meinen Schreibtisch. Seit Tagen schon schiebe ich eine Menge Arbeit vor mir her. Von Beruf bin ich freischaffender Apokalyptiker. Ich lebe von Vorträgen, Kolloquien, Tagungen und Essays in Fachzeitschriften. In Hotels veranstalte ich sogenannte Seminare und beeindrucke die Leute mit meinen erstaunlichen Vorhersagen. Ich muß sofort präzisieren: Ich bin kein Universalapokalyptiker, sondern ein Zivilisationsapokalyptiker, das heißt, ich bin kein Fundamentalist, sondern ein Fortschrittsrevisionist, ein Besinnungskonservativer. Ich glaube, man hört mir gern zu, weil ich die Welt *nicht völlig* aufgebe. Ich gehöre nicht zu den Finsterlingen, die beinahe wöchentlich eine Klimakatastrophe vorhersagen und aus Europa einen tropischen Erdteil machen, über den bald Taifune hinwegjagen werden. Nie wird man von mir hören, daß ganze Länder (Holland und Dänemark werden von diesen Unglückspropheten oft genannt) von der Landkarte verschwinden und daß neuartige Krankheitserreger weite Bevölkerungsteile hinwegraffen werden. Diese immer noch gängige und durch Wiederholung fast schon gemütlich gewordene Apokalypse ist nichts weiter als ein Schreckensszenario für Weltanschauungsneurotiker, von denen es freilich sehr viele gibt. Ich beschäftige mich mehr mit einer absehbar gewordenen Zivilisationsapokalypse, das heißt mit Deformationen, die unscheinbar in unser Leben eindringen und uns allmählich die Luft abdrücken. Es gibt ein gewisses Verlangen in der Gesellschaft nach der neuesten Version ihres möglichen Untergangs. Zur Zeit bereite ich ein zweieinhalbtägiges Apokalypse-Seminar in einem schweizerischen Hotel vor. In drei großen Tageszeitungen werde ich seriöse Anzeigen schalten, ich werde persönliche Einladungen (an Teilnehmer früherer Seminare) verschicken und in Volkshochschulen und Seniorenzirkeln für meine Veranstaltung werben. Das Schwerste freilich ist die Ausarbeitung von mindestens zwei neuen apokalyptischen Vorträgen (einer am Freitag-, der zweite am Samstagabend), für deren Niederschrift ich auf die richtige dramatische Stimmung warte. Reich geworden bin ich mit meinen Vorträgen bis jetzt nicht. Die Apokalypse ernährt ihren Mann, obgleich ich mir große Ansprüche an den Lebensstandard oder teure Hobbys nicht leisten kann. Ich will mich an den Schreibtisch setzen, aber dann gehe ich in das Schlafzimmer hinüber und schaue durch die Mittelritze der Nesselgardinen auf den Balkon hinaus. Ich halte mich kaum noch auf dem Balkon auf, er ist inzwischen fast vollständig von Vögeln als Tummelplatz erobert worden. In der Regenrinne, die am Rand des Balkons um diesen herumführt, hat sich ein Taubenpärchen angesiedelt. Ich habe die Tiere dabei beobachtet, wie sie über Tage hin kleine Ästchen und welke Blätter herbeigeflogen und ein Nest gebaut haben. Es stört die Tauben nicht, daß ihr Nest bei Regen unterspült wird und ihr Unterleib über Stunden hin kalt eingefeuchtet ist. Ich interessiere mich für die Tauben, weil sie Ähnlichkeit mit

Menschen haben. Sie sind katastrophenresistent, das heißt, sie bilden (genau wie Menschen) Verhaltensweisen aus, die immer noch eine Spur härter und widerstandsfähiger sind als das, was ihnen von Natur oder Zivilisation zugefügt wird. Frau Schlesinger, meine Nachbarin, kämpft gegen die Tauben auf ihrem Balkon. Früher hat sie sich damit begnügt, von Zeit zu Zeit hinauszutreten und in die Hände zu klatschen. Dann erschreckte sie die Tiere durch Zischen und ein klägliches Sch-sch-sch-Geräusch. Neuerdings öffnet sie die Balkontür und wirft nasse Tücher nach den Vögeln. Sie beargwöhnt mich, weil ich das Pärchen in meiner Regenrinne nicht vertreibe. Sie bemerkt nicht, wie sehr es mich beeindruckt, daß Frau Schlesinger, indem sie die Tauben bekämpft, deren Hoffnungslosigkeit mehr und mehr in ihr eigenes Leben aufnimmt. Die vielen anderen Vögel setzen sich (auch jetzt wieder) auf die oberste Querstange des Geländers, mit dem Hinterteil in Richtung Balkontür. Sie tschilpen und zetern eine Weile, dann drücken sie ihre hübschen weißen Scheißespritzer auf den Boden des Balkons und schwirren ab. Ich sehne mich kurz danach, selbst ein Vogel zu sein und Scheißen und Verschwinden genauso elegant miteinander verbinden zu können wie sie. Vermutlich ist diese Phantasie der Grund, warum ich kurz danach auf die Toilette muß. Kaum sitze ich auf der Schüssel, höre ich durch das angelehnte Fenster das Geräusch eines nahen Autounfalls. Es kracht, Blech wird eingedrückt, Glas splittert, danach die übertriebene Stille, die jedem Unfall folgt. Ich stelle mir vor, wie ein Teil der Passanten flieht und ein anderer Teil in die Nähe des Unfalls eilt. Ich allein gedenke in der Toilette der Sinnlosigkeit aller Opfer. In Wahrheit gedenke ich nur meiner eigenen Katastrophe. Wie konnte es nur dazu kommen, daß es mir so gleichgültig geworden ist, ob ich einen Abend mit Sandra oder Judith verbringe. Wenn ich unterwegs bin, verwechsle ich die beiden in der Erinnerung oder setze sie einander gleich. War ich mit Sandra in München oder mit Judith in Hamburg, oder war ich mit Sandra in Hamburg und mit Judith in München? Inmitten des Katastrophengefühls empfinde ich über die Verschmelzung der beiden Frauen in meinem Gedächtnis gleichzeitig Glück. Wenn ich glücklich bin, kann ich nicht arbeiten. Ich war immer der Meinung, daß nur eine unglückliche Menschheit unentwegt arbeiten kann. Ich überlege kurz, ob ich diesen Aspekt (Niedergang der Kultur durch zuviel Arbeitsglück) in einem Apokalypse-Vortrag einbauen soll. Da klingelt das Telefon. Ich stürze aus der besinnlichen Toilette. Es ist Judith.

Ich störe dich nicht lange, sagt sie.

Du störst nicht, im Gegenteil.

Ich will dir nur einen Vorschlag machen fürs Wochenende.

Wo bist du gerade?

In Bollenbach, ich habe eine scheußliche Klavierstunde hinter mir ... Judith lacht ... du weißt schon.

Die Apokalypse ist im Moment auch nicht mitreißend, sage ich.

Ich habe in der Zeitung gelesen, daß der Naturschutzbund am Sonntag morgen um acht –

Um acht! rufe ich dazwischen.

Um acht eine Exkursion in die Rheinauen macht, um den Gesang der Nachtigallen zu hören.

Der Gesang der Nachtigallen, wiederhole ich.

Hast du jemals eine Nachtigall gehört? fragt Judith.

Nein, sage ich, ich hatte angenommen, Nachtigallen sind schon längst ausgestorben.

Siehst du! Da sind wir doch dabei, oder?

Ja klar, sage ich.

Da freu ich mich drauf! ruft Judith. Wir können uns morgen nicht sehen und heute sowieso nicht, weil ich zuviel unterwegs bin.

Machs gut, sage ich, gräm' dich nicht zu sehr!

Ja, ruft Judith, tschüß!

Die Nachtigallen-Idee hätte niemals von Sandra kommen können, schon weil sie keine Zeitung liest. Judith beklagt sich zuweilen darüber, wie schwer es ist, ein bißchen Glanz in das Leben zu bringen. Etwas von diesem Glanz verspricht sie sich vom Lauschen in der Natur. Sandra hingegen vermißt keinen Glanz. Sie neigt dazu, die Tatsachen des Lebens ohne Aufbesserung hinzunehmen. Ihrer Meinung nach ist es ohnehin das geheime Ziel aller Menschen, einen friedlichen Weg in die Langeweile zu finden. Die Menschen enden sowieso in der Langeweile, sagt Sandra, aber eben nicht friedlich! Sie bekämpfen die Langeweile, anstatt sich ihr hinzugeben. Ich finde es wunderbar, daß Judith Glanz braucht, und ich lobe Sandra, daß sie ohne ihn auskommt. Jede Art von Apokalypse ist mir in diesen Augenblicken so fern wie ... Grönland vielleicht. Ich denke an das Mittagessen, obwohl es erst halb zwölf ist. Das heißt, ich denke an das Problem des Mittagessens. Ich koche nicht, jedenfalls nicht für mich allein. Schon seit Monaten liegt die Telefonnummer von Essen-auf-Rädern auf meinem Schreibtisch. Aber ich traue mich nicht anzurufen. Vermutlich gibt es Bedingungen, die ich nicht oder noch nicht erfülle. Man wird wenigstens sechzig sein oder behindert oder sonstwie krank sein müssen.

Und dann kommt ein Amtmann in die Wohnung und prüft, ob ich nicht gelogen habe. Ich fürchte mich davor, alterskindisch oder altersblöd zu werden, was vermutlich dasselbe ist. Ich stelle mich hinter das Fenster und betrachte einen großen Nachtfalter, der auf der Übergardine sitzt. Einmal berührte ich ihn kurz mit der Fingerspitze und merkte, daß er tot war. Er muß, unter Aufbietung seiner letzten Kräfte, nachts durch ein geöffnetes Fenster geflogen sein, er muß gemerkt haben, daß ihm hier niemand sinnlos nach dem Leben trachtet. Dann erst hat er sich klug ein Sterbeplätzchen (die Übergardinen) gesucht und sich in den Stoff gekrallt: Und hat sich ohne Aufsehen davongemacht. Gern würde ich zu gegebener Zeit ebenfalls ein Nachtfalter sein und mir eine unauffällige Übergardine suchen. Es zeichnet sich ab, daß ich heute nicht werde arbeiten können. Mir ist absolut unapokalyptisch zumute, die Zukunft ist mir gleichgültig. Ich weiß nicht einmal mehr, wie ich in den Beruf des Apokalyptikers hineingerutscht bin. Ich muß hinein*gerutscht* sein, eine andere Erklärung habe ich nicht mehr. Ich bin in vieles hineingerutscht, zum Beispiel auch in eine Ehe, die schon so lange zurückliegt, daß ich mich kaum an sie erinnere. Am Ende meines Studiums habe ich ein Seminar über Politischen Messianismus belegt. Ich habe ein ausgezeichnetes Referat gehalten, für das mich der Professor gelobt hat. Weil ich ein bißchen Erfolg hatte, blieb ich dem Thema treu und stieß bald auf die Politische Apokalypse. Das ist schon die ganze Geschichte. Ich habe die erstbeste Möglichkeit schon für die letzte gehalten. Das Telefon läutet schon wieder. Ich will nicht reden, aber es könnte sein, daß mich eine Volkshochschule, eine Gewerkschaft, ein Fortbildungsverein oder sonst jemand engagieren will, und es geht mir nicht so üppig, daß ich mir Extravaganz leisten könnte. Aber es ist nur Morgenthaler, der Künstler. Er nennt mich am Telefon du alte Faulmaus, was mich zusammenzucken läßt. Es verblüfft mich immer wieder, daß ich die Leute, die mich anrufen, tatsächlich kenne, nein, es verblüfft mich etwas eigentlich Unfaßbares. daß meine Bekannten meine Bekannten sind.

Ich bin im Café Cactus, sagt Morgenthaler, ich gebe dir einen aus, wenn du vorbeikommst.

Guter Gott, denke ich und suche nach einer Ausrede. Ich merke, daß er tatsächlich von einem Lokal aus anruft.

Wo ist das Café Cactus? frage ich kleinlaut.

Du gehst einfach vom Ebertplatz in Richtung Brückenkopf, von dort nach links, dann siehst du schon die grüne Neonschrift Café Cactus.

Ist das ein Nachtlokal? frage ich.

Nein, ruft Morgenthaler, es ist eine normale Bierkneipe.

Ah ja, mache ich.

Also, ruft Morgenthaler, denk nicht soviel, sondern mach dich auf den Weg.

Schon hat Morgenthaler aufgelegt. Offenbar habe ich zugesagt. So einfach ist es, mich in wackligen Stunden fremdzubestimmen. An Arbeit ist jetzt nicht mehr zu denken. Trotzdem setze ich mich noch einmal an den Schreibtisch. Wenigstens den Anzeigentext für das Apokalypse-Wochenende müßte ich zustande kriegen. Aber mir fehlt der Schwung oder die Konzentration oder das Engagement. Das war in der Vergangenheit auch schon mal besser, denke ich, nein, anstatt des Wortes Vergangenheit denke ich Verhangenheit. Wie alles Leben etwas Verhangenes annimmt! Wie ergreifend es ist, wenn sich eine einmal klar gewesene Vergangenheit mehr und mehr verhängt, ohne daß irgend jemand begreift, wie sich eine solche Selbstverhängung genau abspielt. Durch die Freude an dem neuen Wort kehrt meine Konzentration und sogar mein Arbeitswille zurück. Es genügt jetzt ein vergleichsweise geringer Aufwand von Energie und Routine (heraus aus der Verhangenheit!), dann habe ich drei schmissige Zeilen getextet, die Daten darunter plaziert und das Ganze an die drei wichtigsten Tageszeitungen gefaxt. Eine Dreiviertelstunde später ziehe ich mein Sakko an und mache mich auf den Weg ins Café Cactus. Neben dem Juweliergeschäft in der Brönnerstraße steht wie fast jeden Tag eine junge Flötenspielerin. Für einen zur Zeit zur Melancholie neigenden Menschen wie mich ist die Nähe von Straßenmusikern immer wichtig. Ich bleibe zwei Minuten stehen und lasse mir meine Restverhangenheit wegflöten. Nur drei Straßen weiter sitzt ein elender Gitarrenspieler, der kaum die Grundgriffe beherrscht. Es reizt mich, ihm zuzuflüstern: Sie sollten höchstens vor Heuschrecken und Maikäfern aufspielen! In Wahrheit vergnügt mich auch das schlechte Gitarrenspiel. Ein melancholischer Mensch macht sich gerne lustig über das, was ihn kurz zuvor noch getröstet hat. Auf der anderen Straßenseite geht Bausback, der Postfeind. Er ist überzeugt, daß die Post wichtige Briefe an ihn entweder verschlampt oder vernichtet und sich dadurch an seinem Lebensglück vergeht. Bausback ist oft unterwegs, um der Post die Postvernichtung zu beweisen, aber es ist schwierig, die Post auf frischer Tat zu ertappen. Der Postfeind hebt freundlich die Hand, als wäre ich sein Kompagnon. Ich bin froh, daß er nicht herüberkommt und mich anspricht. Dabei habe ich als Apokalyptiker nichts dagegen, wenn mich Menschen auf der Straße ansprechen. Meist handelt es sich um tief beunruhigte

Personen, die nach einem Netz suchen, das ihre Unruhe auffängt. Im Augenblick fesseln mich die Schweißerarbeiten an den Straßenbahnschienen. Die Straßenschlucht ist grau, aber an mehreren Stellen gleißt jetzt das weiße kalte Licht der Schweißgeräte auf. Dr. Blaul, der Ekelreferent, geht stumm vorüber und beachtet das schöne Licht der Schweißer nicht. Vermutlich ist er in seine Projekte vertieft. Dr. Blaul ist eigentlich Geisteswissenwissenschaftler (sein Spezialgebiet: Die Glücksrhetorik in den Eheanzeigen der Aufklärung), aber weil er als Geisteswissenschaftler nicht den Schatten einer Stelle hat finden können, wandte er sich den Problemen der modernen Menschen zu. Mich findet Dr. Blaul zum Glück nicht interessant, weil ich für ihn ein Mensch mit veralteten Problemen bin (zwei Frauen und kein Ausweg). Für ihn bin ich jemand, der mit abgestandenen Resten einer vergangenen Epoche in die Moderne hineinragt und nur noch musealen Reiz hat. Dr. Blaul kämpft dafür, daß es Angestellten und Arbeitern erlaubt werden muß, sich pro Monat wenigstens einen freien Ekeltag zu nehmen. Die Menschen müssen das Recht haben, findet Dr. Blaul, ohne Ankündigung und ohne Begründung einen Tag ihrem Betrieb fernzubleiben, wenn sie plötzlich Ekel empfinden, sei es über die Firma, über einen Kollegen, über sich selbst oder worüber auch immer. Ein freier Ekeltag soll uns helfen, daß wir uns wieder fangen können, ohne gleich fliehen zu müssen. Denn es gehört zum Ekel, sagt Dr. Blaul, daß er ohne Vorwarnung die Menschen ergreift; er muß sofort »beantwortet« werden können. Leider hat Dr. Blaul (soweit ich weiß) bis jetzt nicht einen einzigen Betrieb für seinen Plan gewinnen können.

Ich biege in die Eichbaumstraße ein und sehe an deren Ende tatsächlich den grünen Neonschriftzug CACTUS BAR.

Ich kenne das Lokal nicht, es übt auf mich keinerlei Reiz aus. Es hat zwei große Schaufenster und in der Mitte eine Glastür. Ich trete ein und wundere mich, daß es in der Bar ein paar echte und ein paar falsche Kakteen gibt. Die echten lehnen in den Ecken, ein wenig geschützt, die falschen stehen in den Schaufenstern und entlang der Innenwände. Rechts und links ziehen sich laienhaft gemalte Wandbilder hin. Dargestellt sind Wüstenlandschaften, braune Schluchten, mannshohe Kakteen, Wasserfälle und Vulkanausbrüche. Es erstaunt mich, daß sich in der stickigen Luft echte Pflanzen halten können. Auf jedem der kleinen Tische steht eine brennende Kerze. Plötzlich höre ich aus dem Hintergrund die Stimme Morgenthalers: Du kommst aber spät!

Ich erkenne Morgenthalers Gesicht in den blaugrauen Rauchschwaden und bin erschrocken. Er sitzt an einem Tisch, trinkt Bier und kaut Erdnüsse. Die Schalen der Erdnüsse läßt er auf den Boden fallen. Eine Kellnerin geht an seinem Tisch vorbei und schreitet nicht gegen Morgenthalers Verunreinigung ein. Offenbar ist man hier für Gäste so dankbar, daß sie sich wie Wüstenferkel aufführen dürfen. Morgenthaler winkt mich zu sich heran. Wenn ich mehr Mut hätte, würde ich wieder umkehren, aber ich habe keinen Mut, beziehungsweise ich spare ihn mir für die wirklich harten Situationen auf.

Wie ich dich kenne, trinkst du Rotwein, stimmts? fragt Morgenthaler.

Ich nicke. Morgenthaler schiebt mir ein paar Erdnüsse über den Tisch. Ich muß jetzt dulden, daß die Leute ringsum annehmen, *ich* hätte den Boden beschmutzt oder mitbeschmutzt. Morgenthaler ruft Einen Roten! durch den Raum. Die Kellnerin reagiert sofort und kommt mit Glas und Flasche an unseren Tisch. Sie achtet darauf, daß sie nicht auf die Erdnußschalen tritt. Morgenthaler redet über Kunst, ich höre kaum hin. Seine Ungepflegtheit geht allmählich ins Piratenhafte über. Jetzt redet er über seine Magengeschwüre.

Ich muß viel kaltes Bier trinken, sagt er, das ist gut für meinen Magen.

Er lacht.

Ich habe eine praktische Krankheit, nicht wahr? sagt er.

Mein Blick gewöhnt sich an den halbdunklen Raum. Auf der Theke steht ein kleines Aquarium mit zwei Goldfischen drin. Der Barkeeper trägt Cowboystiefel und betrachtet seine tätowierten Arme. Ich erkenne zwei Rentner in Bluejeans und karierten Hemden, die mit halbvollen Biergläsern in der Hand umhergehen. Der hintere Teil des schlauchartigen Lokals liegt wie abgestorben da. Es stehen Kartons herum, ein kaputter Spielautomat, ein eingetrockneter Gummibaum, leere Flaschen, ein Putzeimer. Der hintere Teil des Lokals ähnelt einer verlassenen Hundewohnung. Ein Gast öffnet eine Tür. Ahhh, die Toilette! Ich versuche, mir die Stelle in der Wand zu merken, falls ich später selbst auf die Toilette muß. Zwei kleine Japanerinnen betreten das Lokal. Sie gehen direkt zur Theke und stellen sich neben das Aquarium. Morgenthaler erzählt mir, daß seine Mutter vor ein paar Tagen gestorben ist. Endlich habe ich ein bißchen Mitleid mit ihm. Er fordert mich auf, in der nächsten Woche mit ihm die Wohnung der Mutter aufzusuchen.

Meine Mutter hat eine Menge Möbel, die du brauchen kannst! sagt Morgenthaler.

Morgenthaler weiß, daß ich keine Möbel brauche, im Gegenteil, ich würde selbst gerne einen Teil meiner Möbel loswerden. Ich frage mich, wie betrunken Morgenthaler schon ist.

Du kannst mitnehmen, was du willst, sagt er.

Ich zerbeiße jetzt auch Erdnüsse und werfe wie Morgenthaler die Schalen auf den Boden. Ein paar der Erdnüsse stecke ich in die Außentasche meines Sakkos und spiele mit ihnen herum. Ich möchte Morgenthaler auf andere Gedanken bringen, aber wie? Ich könnte ihn fragen, ob er zur Zeit malt, aber dann kommt mir die Frage zu indiskret vor. Vermutlich hat er ernste Sorgen. Die Rente seiner Mutter hat auch weitgehend ihn ernährt. Diese Finanzquelle ist jetzt erloschen. Er hört nicht auf, von den Möbeln zu reden, die ich brauchen könnte. Ich betrachte einen älteren Arbeiter, der mit einer kleinen thailändischen Frau an einem der Tische sitzt. Der Mann schimpft und raucht, die Thailänderin schweigt und sieht auf den Boden. Allmählich wird der Innenlärm des Lokals zu etwas Privatem und schützt gegen den Außenlärm der Stadt. Ich überlege, wie ich von Morgenthaler wieder loskomme. Es gibt eine Kommode mit echten Intarsien, sagt er und schaut in sein Glas. Dann sagt er: Ich hatte heute morgen ein schreckliches Erlebnis.

Heute morgen schon, stoße ich hervor.

In der Cafeteria bei Karstadt, sagt Morgenthaler, wo ich meistens frühstücke. Dort hängt ein großes Schild an der Decke, du hast es bestimmt schon gesehen. Auf dem Schild steht: Bitte stellen Sie Ihr Tablett in den Abräumwagen! Vielen Dank!

Aber du bist gestolpert und bist mitsamt deinem Tablett in die Gegend ... äh, sage ich.

Weißt du, was ich statt dessen auf dem Schild gelesen habe?

Gott nein, mache ich.

Ich habe versehentlich gelesen: Bitte stellen Sie Ihr *Talent* in den Abräumwagen!

Oh! mache ich.

Ja, oh, sagt er; was sagst du dazu?

Ich weiß, Morgenthaler braucht jetzt einen Satz, der ihm das Talent wieder bescheinigt, aber ein solcher Satz fällt mir nicht ein. Statt dessen sage ich ein bißchen kläglich: Das darfst du nicht ernst nehmen!

Gut gesagt, ruft Morgenthaler.

Klar, er hat die Schwäche meiner Bemerkung sofort erkannt. Ich merke, Morgenthaler ist getroffen von seinem Erlebnis. Es ist möglich, daß ein inneres Geschehen, eine schon lange andrängende Ahnung (seine Belanglosigkeit als Künstler) über seine Ufer getreten ist und Teil seines Bewußtseins wird. Ich müßte ihm irgendwie beistehen, aber wie?

Du trinkst noch ein Glas? fragt er.

Diese Frage ist meine Chance. Auf keinen Fall! rufe ich aus, ich muß heute noch arbeiten, und nicht zu knapp.

Du hast es gut, sagt er, du kannst immer arbeiten.

Das scheint nur so, sage ich.

Wann immer ich dich treffe, sagt er, mußt du gerade arbeiten.

Das ist eine sehr verkürzte Darstellung, antworte ich; eigentlich müßte ich sagen, ich muß meiner Arbeit auflauern.

Auflauern?

Ja, auflauern.

Das ist gut, sagt Morgenthaler mit plötzlich heiterer Stimme.

Ich muß lange lauern und warten, sage ich, bis meine Arbeit und ich gut aufeinander zu sprechen sind.

Morgenthalers abgesackter Körper wird wieder lebendig; er lacht sogar ein bißchen.

Bringen Sie mir noch ein Bier, ruft er der Kellnerin zu. Offenbar ist mir endlich eine Bemerkung gelungen, die Morgenthalers Stimmung aufbessert. Ich nutze noch einmal meine Chance und erhebe mich im Windschatten meines Satzes.

Ich rufe dich in den nächsten Tagen an, sage ich, dann schauen wir uns die Möbel deiner Mutter an.

Ist gut, ruft mir Morgenthaler nach.

Eine Minute später bin ich draußen. Es ist wunderbares Frühsommerwetter. Ein makelloses Licht sitzt auf jedem Kindergesicht und in jeder Baumkrone. Sogar in die vorüberfahrenden Autos blitzt die Sonne hinein und hellt die Gesichter der Fahrer auf. Ich will wieder nach Hause und durchquere rasch die Innenstadt. Rätselhafterweise hat mich die Begegnung mit Morgenthaler in eine gute Arbeitsstimmung versetzt. Aus meiner Sakkotasche hole ich ein paar Erdnüsse hervor und schäle sie während des Gehens. Als Kind ließ ich gerne eine einzelne Erdnuß in meinen Schuhen hin- und herrollen. Damals nannte ich das Rollen der Nüsse in den Schuhen das Kollern. Erdnußkollern. Ich bin beglückt über die Wiederkehr des Wortes! Wenn eine Nuß ein paar Runden in meinen Schuhen gedreht hatte, schmeckte sie ein bißchen nach Fisch und ein bißchen nach Käse, das heißt, sie schmeckte nach mir. Meine Mutter hat mir das Erdnußkollern verboten. Sie bekämpfte alle Gerüche und verstand deswegen nicht, daß man als Kind mit seinen Gerüchen identisch ist und die eigenen Gerüche sogar liebt. Nach dem Verbot habe ich Erdnußkollern nur noch gespielt, wenn ich allein war, wodurch das Spiel ein bißchen sonderbar, aber auch geheimnisvoll und erregend wurde.

Ich bin erstaunt, daß mir ausgerechnet Morgenthaler zu so schönen Erinnerungen verhilft. Noch einmal überlege ich, ob und wie ich ihm helfen könnte. Früher habe ich in solchen Fällen eine kurze apokalyptische Rede über Krise und Bewährung gehalten. Solange man unangefochten produzieren kann, ist es ganz einfach, sich einen Künstler zu nennen, habe ich damals gesagt, als ich solche Ansprachen noch hielt. Alles, was ein Künstler zu sein beansprucht, zeigt erst dann seine Dauer, wenn die Produktion in Schwierigkeiten gerät, verstehst du?! Deswegen darfst du nicht aufgeben! Für derartige Appelle bin ich inzwischen zu alt. Ich glaube auch nicht mehr an sie, im Gegenteil. Ich werfe mir heute vor, daß ich mit solchen Reden so manches mittlere Talent zum Aushalten gedrängt habe. Ich durchquere das Erdgeschoß eines Kaufhauses. Ich könnte mir hier (der Sommer ist nah) ein paar neue Sandalen kaufen. Aber ich habe zur Zeit zwei kleine Löcher in den Strümpfen und kann mir öffentliches Schuheanprobieren nicht erlauben. Sandra wird mir die Strümpfe gelegentlich stopfen, ihr Ansehen bei mir wird dadurch weiter steigen. In diesen Augenblicken schmilzt mein Bewußtsein die beiden Worte Erdnuß und Erdgeschoß zu dem neuen Wort Erdnußgeschoß zusammen. Als Dank für die schöne Erinnerung schäle ich in meiner Sakkotasche eine Erdnuß und werfe sie in hohem Bogen über die Köpfe der Leute. Erlöst schaue ich der Flugbahn der Erdnuß nach. Für drei Sekunden kehrt ein Abglanz meines damaligen Erdnußkollerglücks zu mir zurück. Die Erdnuß geht in der fast leeren Lederwarenabteilung nieder und fällt dann auf den Boden, von niemandem bemerkt.

3

Drei Tage später, an einem Sonntagmorgen, steigen Judith und ich in eine Straßenbahn, die uns zu den Rheinauen bringen wird. Wir müssen bis zur Endstation fahren und dann noch zwanzig Minuten gehen. Die Auen sind eine leicht gewellte Landschaft mit kleinen Kiefernwäldchen, versteppten Grasflächen, flachen Tümpeln, wildwachsenden Pflaumenbäumen und ein bißchen Mischwald dazwischen. An der Endstation werden wir auf die Vogelkundlergruppe des Naturschutzbundes treffen. Ich sitze am Fenster der Straßenbahn und betrachte Judith, wir fahren in mäßiger Geschwindigkeit dahin. Es gibt keinen Lärm, keinerlei Durchsagen, keine Betrunkenen, keine Werbebilder. Judith und ich führen zuweilen kleine sinnlose Unterhaltungen, die uns deutlich machen, daß wir in zufriedener Stimmung sind. Zum Beispiel über die Frage, ob sich aneinander vorbeifahrende Straßenbahnführer grüßen sollen oder nicht. Judith ist dafür, daß sie sich grüßen, ich halte dagegen, daß sie sich pro Tag nicht fünfzig- oder sechzigmal grüßen können. Aber sie können doch auch nicht jedesmal wegschauen, wenn sie aneinander vorbeifahren, sagt Judith. Wir können das Problem nicht lösen und sind froh, daß wir keine Straßenbahnführer sind. Seit zwei Tagen wackelt einer meiner hinteren Backenzähne. Ich gleite mit der Zunge über den Zahn und beschleunige damit seinen Abgang. Es wird insgesamt der dritte Backenzahn sein, der mich verläßt, ich werde den Verlust hinnehmen und nicht zum Zahnarzt gehen, weil ich mich vor Zahnärzten fürchte. Wir fahren durch Vorstadtstraßen, an verlassenen Villen vorbei. Mir gefallen neuerdings Gärten, guter Gott, ich werde älter. Im stillen lobe ich Judith für ihre Anteilnahme am Leben der Straßenbahnführer. Sie wird es vermutlich mit einem Schulterzucken hinnehmen, wenn die Sexualität zwischen uns einschläft. Ich habe bis jetzt nur ein einziges Mal mit ihr über dieses Thema gesprochen. Sie sagte nur: Ich wundere mich, daß überhaupt noch etwas los ist; ich hätte nie für möglich gehalten, daß ich noch mit einundfünfzig mit einem Mann ins Bett gehe. Nach dieser Bemerkung war das Thema (vorläufig) beendet. Insofern ist Judith die für das Problem der Sexualverlöschung wahrscheinlich geeignetere Frau. Im Augenblick spricht Judith über das Fernsehen, das heißt über eine Dokumentation über den Tod eines von Terroristen ermordeten Politikers.

Stell dir vor, sagt Judith, die Witwe hat während der fürchterlichen Todestage ihres Mannes ›Mensch ärgere dich nicht‹ gespielt.

Unglaublich, sage ich.

Der Mann erstickte fast im Kofferraum eines Autos, ehe er mit ein paar Genickschüssen erledigt wurde, und seine Frau sitzt zu Hause und würfelt.

Hat sie das selber gesagt?

Ja. Noch zwei Stunden später, als ich im Bett lag, habe ich an die Witwe gedacht. Dann habe ich zufällig im Radio die Bachkantate ›Ärgere dich, o Seele, nicht‹ gehört. Erst durch das Anhören der Kantate habe ich die Witwe vergessen können, aber ich habs nicht verstanden. Denn inhaltlich drücken ›Mensch ärgere dich nicht‹ und ›Ärgere dich, o Seele, nicht‹ doch dasselbe aus, oder?

Find' ich schon, sage ich.

Erst am nächsten Morgen ist mir ein Unterschied aufgefallen, sagt Judith; ›Mensch ärgere dich nicht‹ erniedrigt den Menschen ein bißchen, weil es den Ärger als blödes Massenschicksal hinstellt.

Das ist der Ärger ja auch, sage ich.

Stimmt, sagt Judith, aber Bach richtet den Menschen in seinem dummen Ärger wieder auf.

Wieso?

Weil Bach das Wort Seele verwendet, sagt Judith, und wer von der Seele spricht, meint nicht die angeblödeten Leute, die ›Mensch ärgere dich nicht‹ spielen, weil sie sich die Zeit vertreiben müssen wie Hühner oder Witwen. Es ist nur das Wort Seele, das dem einzelnen verärgerten Menschen die Würde zurückgibt.

Wenn ich im Augenblick die Wahl treffen müßte, mit welcher Frau ich alt werden möchte, würde ich keine Minute zögern müssen. Wir schauen stumm auf die Rapsfelder, die sich links und rechts der Straßenbahnlinie hinziehen. Das Sonnenlicht steht auf Judiths weißem Gesicht. Ruhig atmet ihre Brust. Ich schaue in Judiths Ausschnitt wie ein Neunzehnjähriger. Die Endstation kommt in Sicht. Ein knappes Dutzend Amateur-Ornithologen steht herum. Es sind durchweg ältere Leute. Wir zeigen dem Exkursionsleiter den Einzahlungsbeleg unserer Teilnahmegebühr. Der Exkursionsleiter ist ein drahtiger Greis, der mit dem Spazierstock in die Gegend deutet und Erklärungen abgibt. Er führt die Gruppe nach links in ein Gelände mit verwilderten Grundstücken, durch das ein überwachsener Pfad hindurchführt. Leider gibt der Boden nicht viel her, einige Bäume sind schon abgestorben, sagt der Exkursionsleiter, aber in den Büschen leben viele Vögel. Zwei der Teilnehmer haben ein Fernglas mitgebracht. Ringsum ertönt ein Fiepen, Pfeifen und Piepen. Der Vogelkundler versammelt die Leute um sich und flüstert: Das ist noch keine Nachtigall, das ist ein Pirol. Der Pirol hat einen schönen melodischen Pfiff, hören Sie es? Der Vogelkundler schweigt und hält sein linkes Ohr in Richtung der Töne. Der Pirol pfeift weiter. Der Vogel muß sich in unserer Nähe befinden, aber wir sehen ihn nicht. Aus einer anderen Richtung kommt ein Zilp-Zalp, Zilp-Zalp, Zilp-Zalp. Das ist ein Grauschnäpper, sagt der Vogelkundler. Der Pfad ist jetzt so stark zugewachsen, daß der Weg unter dem Gestrüpp kaum noch zu sehen ist. Das hat den Vorteil, sagt der Leiter, daß Katzen und Hunde nicht in das Gelände eindringen. Dafür aber Menschen, sagt eine grauhaarige Frau strafend. Das ist nicht so schlimm, wie viele meinen, sagt der Leiter, denn die Vögel wissen, daß wir sie nicht fangen und nicht fressen. Mir fällt ein Lehrer ein, der das Gezwitscher der Vögel in der Grundschulzeit stets das Konzert unserer gefiederten Freunde nannte. Als Kind stellte ich mir eine Weile vor, die Vögel würden sich winzig kleine Instrumente unter ihre Flügel klemmen und sich wie Mitglieder eines Orchesters auf einem Baum sammeln. Der Leiter hebt den gestreckten Zeigefinger und spitzt die Lippen. Das sind Nachtigallen, flüstert er. Wir hören ein Zwitschern, Seufzen, Girren, Stöhnen, Gurren, Locken, Schlagen, Glucken. Judith senkt den Blick (wie im Konzert, wenn sie Bach hört) und faßt mich an. Zizazi coi coi coi coi coi, tönt es von links. Tsetsetsetsetsetse tsatsatsi, tönt es von rechts. Und, ganz aus der Nähe: Hiip hiip hiip quoi quoi quoi quoi. Immer schneller folgt Erwiderung auf Erwiderung. Der Vogelkundler hebt den Kopf und flüstert in die Runde: Eine Nachtigall kann innerhalb einer Stunde mehr als vierhundert Strophen nacheinander singen. Die Teilnehmer sind gerührt-erstaunt-ergriffen. Der Pfad öffnet sich und mündet in eine kleine verwilderte Wiese. Die Vogelliebhaber schauen sich beglückt in die Gesichter. Die Vögel sind uns nah, obwohl wir sie kaum sehen. Am Rand der Wiese, zum Wald hin, entdeckt Judith zwei verlassene Schlafsäcke. Sie sind geöffnet und liegen nebeneinander. Wir reden darüber, ob sie ganz aufgegeben oder nur vorübergehend zurückgelassen worden sind. Judith vermutet, sie gehören zwei Obdachlosen, die von unserem Ausflug wußten und sich für einen Tag aus dem Staub gemacht haben. Die Gruppe durchquert ein Wäldchen und zieht sich dabei auseinander. Sperlinge lassen sich auf den Schlafsäcken nieder und picken Brotkrumen auf. Wenn ich mich nicht täusche, ist es Judith inzwischen ziemlich nachtigallenmäßig zumute. Sie löst sich von mir und kriecht unter die überhängenden Äste einer größeren Hecke. Meine Aufmerksamkeit ist ein wenig gestört beziehungsweise gespalten. Auf dem Weg über die Wiese habe ich leere Batterien, kaputte Kassettenrecorder, kleine Elektroteile liegen sehen. Judiths Hand erscheint unter dem Gesträuch und winkt mich herbei. Ich beuge mich unter die Äste und sehe Judith in einer kleinen Grasmulde sitzen. Judith greift mir unters Hemd und flüstert: Kannst du kommen? Ich schaue mich um, offenbar sind wir hinreichend allein. Judith zieht ihren Schlüpfer aus und beugt sich nach vorne. Ich kämpfe mit meiner Schamhaftigkeit, die sich im Freien nicht leicht bändigen läßt. Aber dann hilft mir der Anblick von Judiths weißen Schenkeln inmitten einiger sanft wedelnder

Gräser. Es ist ein unaussprechliches Glück, Judiths Hinternfalte zu öffnen, die Backen sanft hochzuziehen und dann die Stelle zu sehen, wo die Falte in die Geschlechtsritze übergeht. Judith läßt zwei, drei Seufzer hören, die von [illegible]seufzern kaum zu unterscheiden sind. Judith weiß, daß ich den Beischlaf im Freien nicht lange dehnen kann. Obwohl wir allein sind, schaue ich mich doch verstohlen um und werde dabei nervös. Meine Empfindungen für Judith und Sandra fließen wieder ineinander. Momentweise habe ich das Gefühl, daß ich mit beiden Frauen gleichzeitig zusammen bin. Selbst die bläulichen Schatten einiger Krampfadern in den Kniekehlen sind bei Judith und Sandra ähnlich. In den Augenblicken des Samenabgangs schwirrt ein Dutzend Sperlinge aus der Hecke. Es entzückt mich, daß die Vögel geordnet auffliegen und ebenso geordnet in eine andere Hecke einfallen. Ich schäme mich meiner zerfließenden Gefühle, allerdings nicht sehr. Ich würde gerne behaupten, daß ich nur mit Judith diesen schönen Körperwiderspruch einer starken Ermattung erlebe. Aber es wäre gelogen. Auch mit Sandra bin ich genauso glücklich zerschlagen und gleichzeitig gestärkt wie jetzt bei Judith. Ich wünsche allen Männern zwei Frauen und allen Frauen zwei Männer, wenigstens phasenweise, denn zwei Frauen oder zwei Männer sind die Mindestüppigkeit, mit der wir den Kampf gegen unser armseliges Leben antreten können, ohne uns gleich dem Gesetz der Kargheit auszuliefern. Judith steigt in ihren Schlüpfer und sagt: Man wird schön belohnt, wenn man dich liebt. Nach einer Pause sagt sie: So richtig verletzt haben wir uns noch nicht, oder?

Nein, sage ich; willst du, daß wir wegen irgend etwas aufeinander losgehen?

Natürlich nicht.

Aber es ist dir verdächtig, daß es zwischen uns keinen Hickhack gibt?

Ja, sagt Judith; ich denke häufig, daß sich im geheimen etwas ansammelt.

Das denke ich manchmal auch; aber warum sollten wir uns verletzen?

Ich möchte sehen, wie wir hinterher damit fertig werden, sagt Judith.

Wir lachen und kriechen unter der Hecke hervor. Die anderen Vogelkundler sind uns inzwischen weit voraus. Wir beeilen uns ein bißchen und hören schon bald ihre Stimmen.

Drei Morgende später wache ich gegen sieben Uhr auf und habe wieder dieses nervöse Zittern im rechten Augenlid. Das Kribbeln überfällt mich in Abständen von drei bis vier Wochen und löst jedesmal eine Flut von finalen Vorstellungen aus. Ich habe schon öfter Menschen gesehen, denen ein Lid tot über einem Auge hing wie ein kaputter Rolladen. Kriege ich jetzt auch ein solches Auge? Nach einer Weile scheue ich mich nicht, eingebildete Sterbeszenen zu durchleben. Ich glaube, daß ich an Krebs erkrankt bin (letztes Stadium natürlich) und den nächsten Winter nicht mehr überleben werde. Schon als Kind habe ich gewußt, daß der Tod eine ferne Beschmutzung ist, die man sich auch noch selbst zufügen muß. Es hat nichts genutzt, daß du dich ein Leben lang ordentlich gewaschen hast! Die nächsten Stationen werden sein: Darmspiegelung, Darmverschluß, Darmoperation, Darmkatheter. Meine Ängste sind so fürchterlich, daß mir allein von ihnen fast schlecht wird. Ich schaue in meinem Arbeitszimmer umher und sehe die wirren Aufhäufungen von Briefen, Katalogen, Broschüren, Programmen, Protokollen, Zeitschriften und Zeitungsausschnitten, die ich nur noch selten ordne. Das alles wird weggeworfen werden müssen, wenn du tot bist! Und wer wird in das Zimmer treten und das Zeug in Müllsäcken verschwinden lassen, Sandra oder Judith? Bleicher Himmel, jetzt geht das wieder los. Zum Glück komme ich auf die Idee, das Fenster zu öffnen. Ich höre Frau Schlesinger, die mit zusammengeknülltem Zeitungspapier ihre Fenster putzt. Das Quietschen des Papiers auf dem Glas erinnert mich an Mutter, die die Fenster genauso geputzt hat. Als ich jung war, erschien mir das Fensterputzen als Gipfel der Lebensleere, jetzt kommt es mir vor wie ein kostbares Innehalten meiner rasenden Todesangstmaschine. Nach einer halben Stunde läßt das Zittern in meinem Augenlid nach. Danach ergreift mich ein seltsamer Arbeitsdrang, vermutlich eine Form von Dankbarkeit. Ich setze mich neben die eben noch beklagten Aufschichtungen auf meinem Schreibtisch und arbeite. Kern meines neuen apokalyptischen Vortrags wird sein, daß ein neuer, diesmal endgültiger, apokalyptischer Faschismus auf uns zukommt. Schnell wird er da sein, weil er bei den Menschen nicht mehr langwierig durchgesetzt werden muß; die allgemeine Bereitschaft für ihn ist da. Das Volk wird ihn bejubeln, wie noch kein Faschismus zuvor bejubelt worden ist. Der neue Faschismus kommt in der Maske der permanenten Massenunterhaltung auf uns zu. Schon vor dreißig Jahren (werde ich ausführen) hätte uns der Widerspruch auffallen müssen, daß der Staat die immer totaler (und totalitär) werdende Unterhaltung nicht gestoppt und gleichzeitig behauptet hat, er hätte nach wie vor das Wohl seiner Bewohner im Sinn. Und es hätte uns allen auffallen müssen (werde ich hinzufügen), daß man das Denken von Menschen, die sich täglich drei bis vier Stunden lang dem Fernsehen aussetzen, nicht frei nennen kann. Ich werde den Staat mit einem immer härter werdenden Eisblock vergleichen, den wir zwar jeden Abend in der Tagesschau an uns vorbeitrudeln sehen, den wir aber nicht mehr fassen, nicht mehr begreifen und nicht mehr schätzen können. Wir können sehen, daß der Eisblock mit seinen messerscharfen Kanten alles niederrammt, was er selbst nicht mehr als zu sich gehörig erkennen kann. Ich werde die Teilnehmer meines Seminars dafür sensibilisieren, daß jeder neue Faschismus mit der Neuerfindung von Vorbehalten gegen bestimmte Opfergruppen beginnt und daß diese Vorbehalte im Schutz der Massenunterhaltung unmerklich situiert und ebenso unmerklich durchgesetzt werden. Schon jetzt hat der Unterhaltungsfaschismus bestimmte Schichten ausgemacht (Arbeitslose, Obdachlose, Arbeitsunwillige, Alte, Behinderte, Opfer, Dauerkranke), die mit brüderlich klingenden Fernsehshows gekennzeichnet und dann sanft eliminiert werden. Als Zukunftsaufgabe bleibt dem Eisblockfaschismus nur noch, daß sich unter den Bewohnern ein immer größeres Publikum bildet, das an Vorbehalten Freude und an der sanften Bezichtigung Genugtuung empfindet. Dann wird der faschistische Mechanismus (Unbetroffene kennzeichnen freiwillig die Betroffenen) nicht mehr rückgängig zu machen sein. Es gibt, werde ich sagen, in einem einmal durchgesetzten Faschismus keine Revision mehr, die eine eingespielte Ausgrenzung wieder aufheben könnte.

Ich überlege, ob ich Sandra oder Judith zu meinem Seminar mitnehmen soll. Beide Frauen sind, glaube ich, an meinem Beruf und seinen Problemen kaum interesssiert;

sie hören mir zwar zu, wenn ich über moderne Apokalypse spreche, aber mit erkennbar geringer Neigung. Für beide wären zweieinhalb Tage in der Schweiz ein willkommener Kurzurlaub. Da ich andererseits die Kosten niedrig halten muß, entscheide ich mich für ein Einzelzimmer ohne Begleitung. Unter den Hotelangeboten war das Berghotel ›Seeblick‹ (Hanglage) in Interlaken das günstigste und wahrscheinlich das praktischste; es ist ein mittelgroßes Tagungshotel mit kleinen und mittleren Salons; es bietet schlichte Einzelzimmer und Luxus-Appartements an. Bis jetzt haben sich für mein Seminar zwölf Teilnehmer gemeldet, neun Frauen und drei Männer; das ist für die kurze Anlaufzeit eine gute Quote. Wenn mehr als zwanzig Teilnehmer verbindlich zusagen, wird sich die Geschäftsleitung als Dank für meine Gästebeschaffung kulant zeigen: Ich darf dann umsonst wohnen, essen und trinken. Es könnte sein, daß es klappt. Apokalypse ist gefragt, und ich glaube, ich habe einen guten bis sehr guten Ruf. Das Telefon klingelt. Ich habe keine Lust zu reden, aber ich muß den Hörer abnehmen, vielleicht ist es ein neuer Teilnehmer. Es ist Judith. Sie ist gerade unterwegs in einem vermutlich unerheblichen Vorort namens Nettenheim. Neuerdings ruft Judith öfter von unterwegs an und will besänftigt werden. Sie klagt über ihr Leben als Nachhilfe-Lehrerin. Den ganzen Tag ist sie auf den Beinen, sie geht in (vermutlich) schäbigen Häusern (vermutlich) schäbige Treppen auf und ab, immer wieder muß sie sich auf die Eigenarten ihrer Schüler (und deren Mütter) einstellen. Sie versteht nicht, daß sie so müde ist, obwohl der Tag erst zur Hälfte vorüber ist. In früheren Jahren haben wir über diese Probleme nur gesprochen, wenn wir abends zusammensaßen und ein Glas Wein tranken.

Willst du nicht wenigstens die älteren Schüler und die Erwachsenen zu dir nach Hause bestellen? frage ich.

Nein.

Aber das würde dir doch wenigstens ein bißchen Erleichterung bringen?

Nein.

Nein?

Ich will nicht, daß so viele fremde Leute wissen, wie es bei mir zu Hause aussieht. Außerdem will ich nicht für fremde Menschen meine Wohnung aufräumen, sagt Judith.

Ich will nicht einmal für mich selbst meine Wohnung aufräumen, sage ich.

Es ist nicht die Erschöpfung, die mich fertigmacht, obwohl ich jeden Abend erschöpft bin, sagt Judith, sondern es ist mein Konflikt, daß ich keine Nachhilfelehrerin sein will, aber dennoch jeden Tag ordentlich meinen Job mache.

Ich verstehe Judith ganz ausgezeichnet, aber eine passende und gleichzeitig (irgendwie) befreiende Antwort fällt mir nicht ein. Judith ist einundfünfzig; in diesem Alter ist jedem bekannt, daß sich ein anderes, neues Leben nicht mehr so einfach herbeipfeifen läßt.

Aber in dieser Situation leben wir doch alle, sage ich.

Was meinst du?

Um Judith aufzuheitern, sage ich: Es ist die Dialektik des Deliriums, in der wir leben.

Endlich lacht Judith ein bißchen und sagt: Von dieser Dialektik habe ich noch nie etwas gehört.

Die Dialektik des Deliriums geht so: kaum einer tut etwas, kaum einer erreicht etwas, kaum einer verdient etwas, und trotzdem geht alles immerzu weiter.

Judith sagt nichts.

Das Mysteriöse der Dialektik besteht darin, sage ich, daß trotz mehrerer Verneinungen am Ende eine Bejahung herauskommt, die dann keiner versteht.

Du bist mein Retter, sagt Judith leise.

Ich zucke zusammen und bin froh, daß Judith meinen kleinen Schreck nicht sieht. Sie sagt, daß sie heute noch zwei Nachhilfestunden geben muß, einmal Latein und einmal Klavier. Danach werde ich mich ein bißchen ekeln wie ein Hausierer, sagt sie.

Aber wenn du in der Straßenbahn sitzt und nach Hause fährst, wirst du plötzlich zufrieden sein, antworte ich.

Das ist die Endstufe der Dialektik des Deliriums?

Genau, sage ich.

Judith lacht. Am Klang ihrer Stimme höre ich, daß sie sich wieder gefangen hat. Weich und samtig verabschiedet sie sich am Telefon.

Ich gehe mit einem leeren Kissenbezug in der Wohnung umher und sammle schmutzige Unterhosen, Unterhemden, Strümpfe, Handtücher, Geschirrtücher und Bettwäsche ein. Sandra hat mir vor langer Zeit erlaubt (sie hat mich sogar dazu aufgefordert!), ihr meine schmutzige Wäsche zu bringen. Ich mache von dieser Möglichkeit nur selten Gebrauch, weil ich mir als Wäscheablieferer ein bißchen schäbig vorkomme. Aber in den letzten vierzehn Tagen hat sich derart viel schmutziges Zeug angesammelt, daß ich meine Vergünstigung in Anspruch nehme. Bevor ich weggehe, wähle ich die Nummer von Morgenthaler. Ich will mit ihm einen Termin für die Besichtigung der Wohnung seiner Mutter ausmachen. Sekunden später bin ich peinlich berührt. Auch Morgenthaler hat jetzt einen Anrufbeantworter. Ausgerechnet Morgenthaler, von dem kaum noch jemand etwas will. Es ist nicht zu fassen! Im Herzen bin ich dankbar für den Anrufbeantworter. Er treibt eine kleine Wut in mir hoch, die dazu führt, daß ich den Anruf unterlasse. Wahrscheinlich ist auch Morgenthaler schon tot, denke ich, nur sein Anrufbeantworter ist noch nicht abgeschaltet worden. Wenig später verlasse ich die Wohnung. Ich bin sicher, Frau Schlesinger schaut mir nach, wie ich mit dem vollen Wäschesack davonziehe. Unterwegs, in der Limes-Anlage, sehe ich einen älteren Mann. Er geht langsam, bleibt dann fast stehen, winkelt das linke Bein ab, hebt es leicht an und verzieht ein wenig das Gesicht. Die Haltung des Mannes ist die Haltung von Greisen, die gleich einen Wind lassen müssen. Der Mann erinnert mich an meinen seit etwa zwanzig Jahren toten Vater. Vater pupte sogar in der Wohnung. Lange Jahre war ich überzeugt, daß Vater auf diese Weise seine Verachtung für die Familie zeigen wollte. Vor fünf Jahren habe ich meine Meinung geändert. Jetzt nehme ich an, das Pupen war im Gegenteil der völlig naive Ausdruck seiner Aufopferung für die Familie, das Begleitgeräusch seiner Arbeit für uns, die er (vermutlich) als Niederlage empfand. Das Pupen war das Zeichen für die heimlichen Kosten seiner Hingabe an Frau und Kinder. Er hätte nicht verstanden, wenn er dafür gerügt worden wäre. Ich will diese Vorgänge seit mehr als vierzig Jahren vergessen. Ist heute ein besonderer Tag, daß ich mir solche Erinnerungen erlaube? Denn an normalen Tagen bin ich zu schwach für solche Details. Aber mir fällt nichts ein, was diesen Tag vor anderen Tagen auszeichnen könnte, außer der Härte der Erinnerungen selber. Schon eine Minute später (der von mir bemerkte Greis ist derweil verschwunden) ist mir, als müßte ich die Kosten der Erinnerung bezahlen. Ein rätselhafter Schmerz schlägt mir den Hals hoch bis in die Augen hinein. Weil ich mich geniere, mir die Tränen abzuwischen, reiße ich die Augen weit auf und lasse die Feuchtigkeit vom Wind wegtrocknen. Ich setze mich auf eine Bank, lege den Wäschesack neben mir ab und beruhige mich. Dabei wollte ich immer, daß es meinem Vater einmal besser ergehen sollte als mir. Woher diese Zärtlichkeit für ihn kommt, weiß ich nicht. Ich habe nicht gewußt, daß es einen fast selbst umbringt, wenn man einen Toten zu lieben beginnt. Nicht weit von mir liegt ein jüngerer Mann auf einer Bank und schläft. Seine Sandalen sind von den Füßen abgefallen und liegen neben der Bank. Das heißt, es liegt nur noch eine Sandale da. Mit der anderen Sandale spielen ein paar Kinder Fußball. Nach einer Weile verlassen die Kinder den kleinen Platz, kicken aber vorher die eine Sandale weit weg und kichern dabei. Ich frage mich, ob ich den Kontakt zur Realität langsam verliere. Wahrscheinlich ist dieser Verlust ein geheimnisvoller Vorgang. Ich denke, der Kontakt zur Wirklichkeit besteht darin, daß die allermeisten Menschen (wie ich) immerzu umhergehen, sich mal dahin und mal dorthin setzen, mit diesem und jenem Menschen reden und dabei das Gefühl haben, jeden Tag ist alles genau so, wie es schon gestern und vorgestern war und wie es auch morgen wieder sein wird. Auch wer das Gefühl der Wiederkehr langsam verliert, bleibt in diesem befangen, obgleich er in seinem Inneren über rätselhafte Unstimmigkeiten zu klagen anfängt. Sagen wir, es gibt in seinen Wahrnehmungen ein paar krumme Stellen beziehungsweise Löcher, die er eigenmächtig ausstaffiert. Ich selbst bin dafür ein gutes Beispiel. Denn es ist nicht wahr, daß die Kinder eine der Sandalen des auf der Bank liegenden Mannes weggekickt haben. Im Gegenteil, die Kinder haben *beide* Sandalen ordentlich zur Bank getragen und sind erst dann weggegangen. Warum fälsche ich zuweilen etwas ab, was ich doch richtig beobachtet habe? Ich frage mich, ob ich mir über meine Entstellungen Sorgen machen muß oder ob es normal ist, wenn man sich nach innen als Wirklichkeitsveränderer betätigt. Aber solange ich nur für mich entstelle, werden diese Vorgänge als gewöhnlich bezeichnet werden können, hoffe ich. Aufpassen muß ich nur, wenn ich anfange, anderen Menschen gegenüber meine Korrekturen als wahrhaftig darzustellen.

Während ich grüble, fängt auf dem Platz ein Kind zu weinen an. Das war schon öfter so. Ich sitze da und kaue an ein, zwei Gedanken, da zerstreut mich ein Kinderweinen. Die Folge ist, ich lasse meine Gedanken fallen und widme mich der Frage, ob es zwischen meiner Angst vor Wirklichkeitsverlust und dem Kinderweinen einen Zusammenhang gibt. Übernimmt das Kind in diesen Augenblicken die Stafette meines Schmerzes und trägt sie ins Nirgendwo? So vertreibt ein Schmerz den nächsten, so macht eine Angst die nächste unwichtig, und doch füllt das Gefühl des Scheiterns mehr und mehr das Leben aller. Ich empfinde derart stark die universale Unerlöstheit der Menschen, daß ich Lust verspüre, aufzustehen und den paar Leuten und Kindern ringsum mein Bedauern auszusprechen. Besonders den schon Erlahmten und Erschöpften unter ihnen möchte ich kameradschaftlich die Hand drücken. Ich kenne mich im Leben der Erschöpften sehr gut aus, weil ich mich für die Erschöpfung als Form schon seit langer Zeit interessiere. Unsere Verhältnisse produzieren unablässig Erschöpfung, ausreichend Platz für die Erschöpften gibt es aber nicht. Der Erschöpfte ist eine stigmatisierte Figur. Er bildet das System ab, das über uns herrscht, und die Lächerlichkeit seiner Versprechungen. Ich könnte (kann) den Erschöpften geeignete Ruheplätze zeigen, wo sie sich ungestört hinlagern können. Ich habe diese Plätze selbst ausprobiert, es sind Kleinode und Verstecke, absolute Geheimtips. Vor ungefähr fünfzehn Jahren, als ich noch halbwegs jung war und noch Karriere machen wollte, habe ich einmal ein »Handbuch für Erschöpfte« schreiben wollen, eine Art Stadtführer mit Angabe von schattenspendenden Bäumen, unbekannten Schleichwegen (ohne Werbetafeln links und rechts), stillen Cafés (ohne Gedudel) und so weiter. Leider war ich selber zu erschöpft, um das Handbuch zu schreiben. Im Fenster eines gelben Hauses springt in diesen Augenblicken ein Plastikrolladen aus einer seiner Laufschienen heraus und rutscht im unteren Drittel des Fenstervierecks zusammen. Erst dieser wunderbare Anblick erlöst mich vom untergründigen Weiterzittern der Erinnerung an meinen Vater. Das Kind, das vorhin geweint hat, fährt jetzt auf seinem Dreirad an mir vorbei und lacht mich an. Die Feuchtigkeit in meinen Augen ist getrocknet, ich nehme meinen Wäschesack und mache mich auf den Weg zu Sandra.

Ich rechne damit, daß sie ein bißchen verärgert sein wird, wenn ich sie ohne Vorankündigung mit meiner schmutzigen Wäsche konfrontiere. Aber sie öffnet mir in aufgeräumter Stimmung die Tür, nimmt mir den Wäschebeutel aus der Hand und sagt: Du kommst gerade recht, ich bin sowieso beim Waschen, in der Trommel ist noch eine Menge Platz. Sandra klappt das Bullauge der Waschmaschine noch einmal auf und stopft meine Sachen rein.

Du siehst nicht gut aus, sagt Sandra in der Küche.

Ich bin überarbeitet, sage ich.

Hast du Sorgen?

Ich frage mich immer mal wieder, wie lange ich die Apokalypse noch betreiben kann.

Aber dein neuer Vortrag ist doch fertig?

Gott sei Dank, sage ich; mein rechtes Knie schmerzt, außerdem habe ich ein bißchen Bauchweh.

Leg' die Beine hoch.

Ich ziehe die Schuhe aus, Sandra polstert die rechte Sofalehne mit zwei Kissen, eine Minute später liege ich flach.

Warst du beim Arzt? fragt Sandra.

Warum?

Wegen deiner Wadenkrämpfe. Und überhaupt.

Nein.

Willst du nie zum Arzt gehen?

Nein.

Warum nicht?

Ich weiß zu gut, was passieren wird, antworte ich; meine Mutter hatte ebenfalls zuerst Wadenkrämpfe und dann Krampfadern. Der Arzt verschrieb ihr Magnesiumtabletten und Stützstrümpfe. Auch ich würde Magnesium und Stützstrümpfe kriegen. Die Tabletten würde ich nehmen, die Stützstrümpfe würde ich liegenlassen.

Wie deine Mutter? fragt Sandra.

Ja.

Aber du spürst doch Stiche im Unterleib, und dein Knie ist nicht in Ordnung.

Ich möchte antworten, aber dann rührt mich die Art, wie Sandra unter dem Kopfkissen ihr Nachthemd hervorzieht, es in die Waschmaschine stopft und ein frisches Nachthemd unter ihr Kopfkissen schiebt.

Und an die Wadenkrämpfe im Bett willst du dich gewöhnen?

Natürlich nicht, sage ich, aber was soll ich tun?

Sandra beugt sich zu mir herab und flüstert: Ich laß es nicht zu, daß du dich hängenläßt.

Natürlich nicht, wiederhole ich.

Ich rufe nächste Woche einen Internisten an und mache einen Termin für dich, sagt Sandra.

Ich will nicht zum Arzt, aber ich wage nicht zu widersprechen.

Krämpfe kriegst du doch nur im Liegen, oder?

Ja, sage ich, neuerdings sogar im Schlaf.

Und dann?

Dann springe ich aus dem Bett und laufe eine Weile im Zimmer herum.

Guter Gott, macht Sandra; ich habe mir was ausgedacht.

Was meinst du?

Ist dein Knie schon wieder gut? Kannst du aufstehen?

Ja, sage ich und erhebe mich.

Sandra geht vor mir in Richtung Schlafzimmer. Im Türrahmen sehe ich zwei umgedrehte Weinkistchen, links das eine, rechts das andere. Auf jeder Weinkiste liegt ein Kissen.

Solange du Krämpfe kriegst, vögeln wir im Stehen. Im Türrahmen, sagt Sandra.

Ich verstehe nicht sofort und frage: Wozu brauchen wir die Weinkisten?

Ich muß ein bißchen erhöht stehen, sagt Sandra, sonst kannst du nicht zu mir kommen.

Ach so, mache ich.

Sandra kichert. Findest du mich schamlos? fragt sie.

Ich überlege schon, ob deine Erfindung funktioniert, sage ich.

Sandra spreizt die Beine und steigt auf die Weinkisten, mit dem rechten Bein auf die rechte, mit dem linken Bein auf die linke Kiste.

Festhalten kann ich mich am Türrahmen, sagt sie.

Ich weiß schon lange, daß du eine Liebesbastlerin bist, sage ich.

Die Kisten haben einen festen Stand, sagt Sandra, sie können nicht wegrutschen.

Es könnte klappen, sage ich.

Mit Sicherheit, sagt Sandra und steigt von den Kisten herunter.

Aber du mußt mir versprechen, sagt sie, daß du zum Arzt gehst.

Jaja, mache ich.

Die Kisten sind nur eine vorübergehende Lösung.

Sie lacht und geht in die Küche.

Ich leide unter dem Widerspruch, ruft sie aus der Küche herüber, daß mein eigenes Leben immer gut geordnet ist, die Welt draußen aber nicht. Sobald ich meine Wohnung verlasse, stoße ich auf Unordnung und Chaos. Auch die Menschen, die ich kenne, leben in ordentlichen Verhältnissen. Wieso greift die Ordnung dieser vielen einzelnen Menschen nicht auf das Ganze über und macht dieses ebenfalls ordentlich? Kannst du mir das erklären?

Ich gehe ebenfalls in die Küche hinüber. Während des Gehens höre ich das Knacken meiner Fußknöchel. Es ist mir nicht recht, daß Sandra das Knacken ebenfalls hört. Ich setze mich so an den Küchentisch, daß ich die beiden Weinkistchen im Türrahmen des Wohnzimmers im Blick habe. Meine Sorge, daß es mit meiner Sexualität demnächst zu Ende sein könnte, kommt mir in diesen Sekunden töricht vor. Sandra wartet auf eine Antwort, aber ich habe im Augenblick kein Verlangen, über globale ethische Fragen nachzudenken. Ich sage nur: Dein Problem ist eines der schwierigsten überhaupt.

Ich habe nicht gewußt, beziehungsweise ich bin verblüfft, sagt Sandra, daß mir so gewaltige Fragen durch den Kopf gehen.

Sandra legt ihren Rock ab. Ich betrachte die über ihren Schlüpfer gezogene Strumpfhose.

Willst du einen Kaffee? fragt Sandra und lacht.

Warum lachst du? frage ich.

Weil du keine Antwort auf meine Frage weißt, sagt sie, das kommt nicht oft vor.

Ach so, mache ich.

4

Vierzehn Tage später, im Zug nach Interlaken, bin ich mit mir selbst der Meinung, ich hätte mich im tiefsten Inneren für Sandra entschieden, und zwar aufgrund ihrer Einfälle für eine, wie soll ich mich ausdrücken, Alterssicherung unserer Sexualität. Sandra hat aus der Geschichte unserer langjährigen erotischen Vertrautheit zum richtigen Zeitpunkt eine sexuelle Kumpanei gemacht, die mich immer wieder neu für Sandra einnimmt. Wir haben die Weinkisten-Technik inzwischen öfter ausprobiert, sie funktioniert problemlos. Ich kann mich wieder ohne Krämpfe, ohne Venenschmerzen und ohne Stiche im Knie bewegen. Ich sitze allein in einem Abteil und kann mich ohne Störungen der inneren Erörterung von Lebensfragen widmen. Bis jetzt habe ich nicht die geringste Ahnung, *wie* ich mich von Judith trennen soll. Unser Kontakt war in den letzten Tagen angespannt, was Judith konventionell gedeutet hat. Sie führte meinen Streß wie gewöhnlich auf die Vorbereitung der Apokalypse-Tagung zurück. Einmal habe ich die Bemerkung fallenlassen, daß ich in Kürze ein unerfreulicher alter Mann sein werde. Judith sagte nichts. Vermutlich war sie irritiert, vielleicht ein bißchen verwundert, weil sie derartige Äußerungen von mir nicht gewöhnt ist. Hätte sie sich beklagt, hätte ich geantwortet: Plötzlich hereinbrechende Grobheit gehört auch zu den unangenehmen Überraschungen des Alterns. Aber ich blieb auf meiner vorbereiteten Schlagfertigkeit sitzen. Ich ahne nur, die Trennung von Judith wird eine ungewöhnlich langwierige und schmerzreiche Sache werden, vor der ich mich jetzt schon fürchte, zumal ich die Trennung vor Sandra geheimhalten muß.

Obwohl ich nicht einmal ein Drittel der Strecke hinter mir habe, bin ich schon nervös. Vermutlich stört mich das unablässige Quietschen der mannshohen Gummilaschen zwischen den Waggons. Oder es ist das Klackern eines Computers im Abteil nebenan. Wieder habe ich das Gefühl, daß sich fast alle Menschen leicht an neue Geräusche gewöhnen, nur ich bleibe mit meinen Anpassungsleistungen zurück. Zu meinem Seminar in Interlaken haben sich achtzehn Teilnehmer verbindlich gemeldet. Mit zwanzig Teilnehmern hätte mir die Geschäftsführung des Hotels freie Unterkunft und Verpflegung gewährt und außerdem meine Fahrtkosten erstattet. Ich sitze mit dem Rücken an der Wand einer Toilette. Ich kann hören, welcher WC-Besucher sich nach dem Gebrauch der Toilette die Hände wäscht und welcher nicht. Es ist mehr als die Hälfte, die auf das Händewaschen verzichtet. In den Zeitungen werden die Deutschen deswegen von Zeit zu Zeit als Schmutzfinken bezeichnet, was ihnen jedoch nichts ausmacht. Seit etwa zwanzig Minuten spüre ich im Bereich des rechten Oberarms wieder eine Art Lähmung, die bis in die Schultern vordringt. Ich halte die Lähmungen sowohl vor Judith als auch vor Sandra geheim. Erst dieser Tage habe ich in der Zeitung von der unheilbaren Krankheit ALS (Amyotrophe Lateralsklerose) gelesen; die Krankheit zerstört die Nervenzellen im Rückgrat und lähmt nacheinander alle Muskeln, verschont jedoch das Gehirn. Je länger ich fahre, desto weniger bin ich darauf eingestimmt, daß mich am Ende der Fahrt nichts als ein stressiges Wochenende erwartet. Besonders fürchte ich mich vor dem sogenannten gegenseitigen Kennenlernen! Um mich auf andere Gedanken zu bringen, versuche ich ein wenig zu schlafen. In der vergangenen Nacht habe ich es nur auf dreieinhalb Stunden Schlaf gebracht. Die Zeiten, als ich die Nächte durchschlafen konnte, sind lange vorbei. Heute bin ich fast regelmäßig zwischen zwei und vier Uhr morgens wach, auch wenn ich erst um Mitternacht zu Bett gegangen bin. In Freiburg betritt eine ältere Frau das Abteil und setzt sich mir gegenüber. Jetzt ist an Schlaf nicht mehr zu denken. In den nächtlichen Wachphasen arbeite ich eine Weile, oder ich stelle den Fernsehapparat an und schaue mir die Reste irgendwelcher Spielfilme an, die ich nicht begreife und nicht begreifen kann (nachts verstehe ich so gut wie nichts, ich sollte nachts nicht leben müssen). Dennoch geben mir die Filmreste das Gefühl, daß ich modern und zeitgenössisch bin, was mir tagsüber kaum gelingt. Aber was soll ich nachts mit dem Gefühl meiner Modernität anfangen? Aus der Jacke der älteren Frau entsteigt eine Motte und fliegt quer über den Mittelgang. Ich nehme an, die Motte wird sich auf meiner Jacke einen neuen Platz suchen. Das macht sie jedoch nicht. Sie läßt sich auf der gewölbten Kunststoffwand über den Sitzplätzen nieder. Draußen ist ein Reh ein bißchen zu nah an die Geleise herangekommen. Für Augenblicke erstarrt es zu einer Skulptur. Ich beneide das Tier, weil es seinen Schreck so klar darstellen kann. Im Auge des Rehs sehe ich seine Überforderung, die mich Sekunden später an Judith erinnert. Wenige Tage vor meiner Abfahrt suchte sie wieder nach Gründen für ihre Müdigkeit. Starr und erschrocken (wie das Reh) war sie gegen einen Schrank gelehnt und fragte sich und mich: Warum bin ich denn nur so matt? Ich sagte, für Müdigkeit gibt es keinen besonderen, sondern nur einen allgemeinen Grund: Indem das Leben vorübergeht, erzeugt es Erschöpfung. Judith war mit dieser Erklärung nicht zufrieden. Irgendwo muß ich doch meine Kraft gelassen haben, rief sie aus. Am gleichen Tag hatte sie eine Anfrage erhalten: Sie sollte eine Sopranistin am Klavier begleiten. Sechs Konzerte im September und Oktober in sechs verschiedenen Kleinstädten, mit Garantiehonorar. Judith zögerte mit der Entscheidung zwei Tage lang. Sie kämpfte mit sich, das Honorar könnte sie gut gebrauchen. Andererseits hat sie lange nicht mehr geübt. Das kleinstädtische Publikum hat Mitleid mit älteren, der Kunst hingegebenen Damen, sagte Judith spöttisch, auch die Sopranistin hat ihren Höhepunkt längst überschritten. Wenn ich ein bißchen spielerischer veranlagt wäre, könnte ich mich mit Ironie entschädigen. Zwei überreife Künstlerinnen bezaubern sechs Säle voller Witwen und Rentner! Aber dann, nach drei zerknirschten Tagen, lehnte Judith das Angebot ab. Nichts ist kläglicher als Kunst mit Provinzrabatt! sagte sie. Ihr alter Moralismus! Ein jüngerer Mann betritt das Abteil, setzt sich und holt zwei Plastikboxen mit Lebensmitteln aus seiner Reisetasche. Zwischen Freiburg und Basel sehe ich ein Dutzend Männer und Frauen in gebückter Haltung auf weiten Erdbeerfeldern. Sie tauschen ihre Strohhüte untereinander, sie zeigen sich gegenseitig ihre schönsten Erdbeeren und lachen miteinander. Was für ein wunderbares Bild! Glückliche Erdbeerpflücker! Solche Eindrücke gibt es heute nur noch auf alten Gemälden oder, für Sekunden, an den Fenstern vorüberfahrender Züge. Aus der ersten Box entnimmt der junge Mann ein belegtes Brot, aus der zweiten eine

Banane. Das Brot stinkt, wie alle Brote, die morgens eingepackt und später wieder ausgepackt werden. Auch die Banane stinkt: aus dem gleichen Grund. Schon ist meine Überempfindlichkeit da. In ihrem schönsten Gewand, der vollkommenen Unsichtbarkeit, breitet sie sich bis in die kleinsten Ecken des Abteils aus. Dabei bin ich nicht sicher, ob das Brot und die Banane wirklich stinken oder nicht. Es ist möglich, daß ich den Gestank vor mir selber verstärke oder sogar erfinde, damit ich irgend etwas verhöhnen oder verabscheuen kann. Vermutlich ist es der Armutsgeschmack meiner Kindergartenzeit, die Erinnerung, als die Kinder ihre Brote auspackten und der Raum sich sekundenschnell mit dem Gestank der Kinderverlassenheit füllte. Jetzt fällt mir auch noch das Wort Proviant ein, ein Kriegswort, das Vater bis tief in die Nachkriegszeit hinein verwendete. Der junge Reisende schält seine Banane. Es ist ganz eindeutig: Die Bananenschale stinkt zu mir herüber. Ich überlege, ob ich den jungen Mann kurz zurechtweisen soll. Aber dann wird mir klar, daß es nicht verboten ist, in Anwesenheit anderer Menschen eine Banane zu schälen. Es wird erwartet, daß die anderen den Geruch hinnehmen. Das Leben nimmt keine Rücksicht auf das, was man nicht will oder nicht kann. Ich kann den Essensgeruch nicht länger ertragen, ich muß das Abteil verlassen. Draußen, auf dem Gang, habe ich die Hoffnung, daß ich meine Überempfindlichkeiten verliere, wenn ich mit *einer* Frau zusammenleben werde. Die dauerhafte Präsenz *eines* Menschen wird mir helfen, meine Sonderbarkeiten besser in Schach zu halten. Der Zug fährt langsam an einem Wildbach entlang. An den Ufern eines solchen Wildbachs wollte ich leben, als ich damals im Kindergarten meine Verlassenheit entdeckte. In einem

Baumhaus oder in einem verlassenen Wohnwagen wollte ich mich einrichten und mich von Waldbeeren und Fischfang ernähren. Den ganzen Sommer über wollte ich Holz sammeln, damit ich mir im Winter ein Feuer machen können. Am Ufer wäre ein Kanu vertäut, in dem ich von Zeit zu Zeit den Wildbach hinaufpaddeln würde, um andere Eremiten zu besuchen. Es entgeht mir nicht, daß sich in der Wärme der Wiedererinnerung meiner Kinderphantasie meine Überempfindlichkeit langsam auflöst. Ich sehe, daß der junge Mann die Banane aufgegessen hat; auch seine Plastikboxen sind verschwunden. Wir nähern uns der Schweiz. Deutsche und schweizerische Polizisten und Zollbeamte streifen durch den Zug, aber sie fixieren nur kurz die Reisenden und ziehen weiter. Wäre ich als junger Mensch in die Schweiz gefahren, wäre vermutlich das ganze Land an meiner schon damals blühenden Überempfindlichkeit gescheitert. Die aufgeräumten Gärten, die sauberen Wege, die geputzten Häuschen überall hätten mich damals abgestoßen. Sogar die Bahnsteige in den Bahnhöfen wirken gepflegt, die Fabrikgebäude schauen aus wie frisch entstaubt oder frisch gewaschen. Ich werde Sandra darauf hinweisen, daß es ein Land gibt, in dem ihr Problem gelöst ist. Hier, in der Schweiz, greift der Ordnungssinn der einzelnen auf die Ordnung des Ganzen über. Auch ich finde Gefallen an der allgemeinen Überschaubarkeit. Sogar zu Schweizer Tunnels habe ich erheblich größeres Vertrauen als zu deutschen oder italienischen Tunnels. Ich glaube, in einem Schweizer Tunnel liegt nicht ein einziger Pappbecher und nicht ein einziger Pizzakarton herum.

Im Foyer des Hotels ›Seeblick‹ treffe ich auf sieben Reisende, die ich sofort als Seminarteilnehmer identifiziere.

Sie füllen ihre Anmeldezettel aus, und selbst dabei zeigen sie eine gewisse Unruhe, fast Zappeligkeit. Vier von ihnen drehen sich sofort nach mir um, das heißt, sie haben *gespürt*, daß jemand in das Foyer eingetreten ist. Es sind geistig erregte Menschen, die für ihre intellektuelle Hippeligkeit entweder einen sie beruhigenden oder einen sie erst recht beunruhigenden Grund suchen, der ihnen nach zwei Tagen das Gefühl gibt, daß sie *zu Recht* nervös sind. An der Rezeption stelle ich mich vor. Es begrüßen mich der pensionierte Chemiker Dr. Gerberich und seine Frau, der Forstbeamte Suchanek und seine Frau, Frau Dr. Kuch, Studienleiterin aus Bad Segeberg, und ihr Mann, und Frau Dr. Krüger, Wirtschaftsanwältin aus Düsseldorf. Es kommt zu einem munteren Geplauder, wir zeigen, ich eingeschlossen, daß wir trotz Apokalypse gute Laune haben und sogar zu einer gewissen humorigen Ausstrahlung fähig sind. Ich sage, daß ich mein Gepäck unterbringe und pünktlich um 19.00 Uhr zur allgemeinen Begrüßung im Salon ›Burgund‹ wieder erscheinen und Programme austeilen werde.

Mein Zimmer ist zum Glück geräumig und still. Nur die Klimaanlage brummt. Ich setze mich an den Sekretär und schreibe an Sandra und Judith je eine Postkarte mit nahezu identischem Text. Auf dem Sekretär steht links ein golden schimmernder, vierarmiger Leuchter, rechts ein halbrundes Glas mit abgezupften Blütenblättern darin. Ich will mich noch ein bißchen ausruhen, aber vorher gehe ich auf die Toilette. Mein Urin ist bräunlich, fast dunkelbraun-rötlich. Ich bin so erschrocken, daß ich die Spülung nicht betätige. An Ausruhen ist jetzt nicht mehr zu denken. Die senkrecht herabstoßenden Lichtbündel der in die Decke eingelassenen Punktstrahler kehren als gleißende

Flecke auf dem Marmorboden wieder. Ich möchte sofort wissen, wie gefährlich rötlich-brauner Urin ist. Auf einem Sockel hinter der Toilettenschüssel steht ein schnurloses Telefon. Links und rechts des Spiegels sind rötlich züngelnde Flammenleuchten angebracht. Auf einem Mauervorsprung zwischen Spiegel und Waschbecken stehen weitere Glasschälchen mit Blütenblättern. Es gibt nichts Einsameres als bräunlich-roten Urin in einem glänzend spiegelnden Badezimmer. Erst jetzt sehe ich am Kopf der Badewanne eine weiße Teichrose in einer flachen gläsernen Vase. Ich berühre die Blütenblätter, die Teichrose ist echt. Genau unterhalb der Teichrose ragen zwei golden schimmernde Wasserhähne in die gleißend helle Badewanne. Die Vielzahl der Lichtquellen bringt meine wächserne Haut ungünstig zur Geltung. Ich überlege kurz, ob ich noch vor dem ersten Zusammentreffen mit den Seminarteilnehmern ein Bad nehmen soll. Schon zum dritten Mal berühre ich die Blütenblätter der Teichrose. Judith hat unterhalb ihrer Kinnspitze ein Stück Haut von ähnlich samtener Konsistenz. Judith! Sandra! Ich will beide Frauen jetzt bei mir haben und mir von ihnen versichern lassen, daß rötlich-brauner Urin nicht schlimmer ist als grünlich-bleicher Grippeauswurf. Vermutlich ist es sinnvoller, ich stelle Judith und Sandra endlich einander vor und mache sie mit einem künftigen Leben zu dritt vertraut, anstatt mich von der einen oder anderen zu trennen. Nein, das wäre die absolute und ultimative Apokalypse, die ich nicht überleben würde. Ich gehe zurück in das Zimmer und höre zum ersten Mal das Sirren der Minibar. Neben dem Schrank hängt hinter Glas ein altes Reiseplakat, das die internationalen Linienverkehre der Schweizerischen Eisenbahnen anpreist. Ich öffne die Minibar und stelle die

Flaschen ein wenig um, aber das Sirren verschwindet nicht. Ich erinnere mich an die Zeit, als ich Judith kennenlernte. Sonntags fanden wir kaum aus den Kissen heraus. Um das Bett herum waren Zeitungen, Bücher, Wein, Gebäck, Spiegel, Gläser und Unterwäsche verstreut. Dazu ein oder zwei Teller mit Trauben, Feigen und Oliven. Ich entdeckte, daß mir das Leben gefiel, wenn es stundenlang die Form einer Hinlagerung annahm. Nach zwei oder drei Stunden hatte ich das Gefühl, endlich in meinem Versteck am Wildbach angekommen zu sein. War die Liebe nicht überhaupt ein Nachspiel zur Kindheit, eine Wiederholung des Wunsches, eine selbstgebaute Höhle niemals verlassen zu müssen? Ein paar Wochen lang wollte ich damals erreichen, daß wir unseren Orgasmus gleichzeitig hatten, aber ich hatte nicht viel Erfolg. Judith beruhigte mich. Sie sagte, der ungleichzeitige Orgasmus ist eine Fürsorge der Natur. Mann und Frau sollen lernen, sich furchtlos in der Abwesenheit der Lust zu betrachten. Die Erklärung erschütterte mich damals, gefällt mir heute aber sehr. Ein andermal sagte sie: Du schaust so traurig auf die Samenflecken im Bettuch. Ich antwortete, daß ich nicht traurig sei, im Gegenteil, ich war glücklich und stumm. Judith glaubte mir nicht. Du hast deinen Samen verloren, sagte sie, etwas Bedeutsameres kann ein Mann nicht verlieren, und dieser Verlust stimmt dich traurig. Das wäre richtig, sagte ich damals, wenn ich nur wenig Samen hätte. Aber ich habe doch soviel davon! Jeden Tag gibt es neuen Samen! Es ist genau umgekehrt: Der Mann *muß* den Samen verlieren, andernfalls wird er traurig. Wir debattierten eine Weile über die Bedeutung des verlorenen Samens, dann sagte Judith plötzlich: Merkst du, wie uns das Sprechen vereinsamt? Auch diese Bemerkung beeindruckte mich. So etwas hatte ich noch nie gehört. Die Leute, die ich kannte, behaupteten das genaue Gegenteil, daß man über alles reden müsse, weil Schweigen ungesund sei und so weiter. Du willst sagen, antwortete ich damals, wir sollten nicht alles aufklären wollen und schon gar nicht sofort! Jedenfalls nicht immer und nicht immer durch Reden, sagte Judith.

Plötzlich überfällt mich eine starke Trauer darüber, daß ich künftig ohne Judith werde auskommen müssen. War ich (bin ich) denn irrsinnig, mich ausgerechnet von ihr trennen zu wollen? Ich habe das Gefühl, in meinem eigenen Inneren umzufallen und in den Tümpeln meiner Dummheit unterzugehen. Ich setze mich auf das Bett, um meinen Untergang besser zu überstehen. Schweiß dringt in mein Uhrarmband und weicht es auf. Mit einem Papiertaschentuch trockne ich mir das Gesicht. Dabei habe ich tragische Lebenssituationen immer vermeiden wollen. Erst jetzt erkenne ich, daß es bereits tragisch ist, Tragik vermeiden zu wollen. Im Spiegel über dem Nachttisch sehe ich, daß mir Papierfitzelchen auf der Stirn kleben. Ich entferne sie nicht, sondern gehe eine Weile mit ihnen im Zimmer umher und denke: Du bist ein Papierfitzelapokalyptiker, mehr nicht. Die Seminarteilnehmer werden mir nachher verächtlich entgegenrufen: Da kommt ja unser Stirnfusselphilosoph. Unüberbietbar grauenvoll! Es ist klar, der Empfindungsruin zwischen zwei Frauen wird mich umbringen. Auf dem Plakat neben dem Schrank lese ich anstatt Internationale Linienverkehre zweimal hintereinander Infernalische Liebesverkehre. Jajaja! Du hast dich von zwei Frauen über Jahre hin mit Liebe abfüttern lassen und wirst jetzt an der von dir selbst herbeigeführten Liebesverstopfung ersticken. Es ist Angst, was in mir hochsteigt. Ich suche den Raum nach einem Feind ab und finde ihn nicht. Irgendwo piept ein Gerät. Es setzt sich das Gefühl durch, daß ich die Entscheidung für Sandra wieder rückgängig machen muß. Zum dritten Mal fasse ich mit der Hand in meinen geöffneten Koffer. Ich gehe auf den Fernsehapparat zu und schaue höhnisch auf ihn herunter. Dabei ähnele ich nur den älteren Leuten, die auf der Straße plötzlich stehenbleiben (ich habe sie oft beobachtet), weil sie einen Schmerz im Stehen etwas leichter ertragen als während des Gehens. Obwohl das Zimmer vollgestellt ist mit einem Schreibtisch, zwei Sesseln, einer Stehlampe, einer Kommode und einem Rauchtisch, habe ich den Eindruck, mich in einer Wüste zu befinden. Ich drücke mir ein Seidenkissen, das ich unter normalen Bedingungen nicht anfasse, gegen das Gesicht. Die Depression ist in diesen Augenblicken so stark, daß ich mir den Kitsch der rosafarbenen Seide ohne Widerstand gefallen lasse. So habe ich mir immer eine Selbstverfemung vorgestellt: Nur eine Katastrophe wird dich weichmachen können. Es ärgert mich, daß ich immer noch reflektiere. Als ich Kind war, schaute ich, wenn ich mittags von der Schule nach Hause kam, immer zuerst zum Balkon unserer Wohnung hoch. Ich glaubte damals, meine Mutter werde eines Tages eine schwarze Fahne von unserem Balkon herunterhängen lassen. Die Fahne wäre das Zeichen, daß ich nicht mehr nach Hause kommen müßte, weil endlich die von allen befürchtete Katastrophe eingetreten wäre. Hier, in meinem Hotelzimmer, gibt es zum Glück keine schwarze Fahne, sonst würde ich sie vielleicht jetzt aus dem Fenster hängen. Ich weiß nicht, was stärker ist, der Überdruß an meinem leeren Schädel oder das Grauen vor dem heutigen Abend. Ich werde mit allen Seminarteilnehmern kurze oder längere Begrüßungsgespräche führen. Einige Teilnehmer werden diese Gespräche so anregend finden, daß sie bis Mitternacht mit mir reden wollen. Ich suche in der Kommode nach einer weißen Fahne oder einem weißen Bettuch, das ich aus dem Fenster hängen könnte: zum Zeichen, daß ich aufgebe, ein für allemal. Aber ich finde keine weiße Fahne und kein weißes Bettuch, ich trete ohne Geständnis ans Fenster. Sofort gefällt mir ein Hund, der zuerst an Blumenrabatten entlanggeht und dann vor drei älteren Frauen stehenbleibt. Der Hund schaut so voller Einfühlung die Frauen an, daß mir die Idee kommt, die Menschen haben den Tieren schon immer leid getan. Ja, das Mitleid war (ist) der einzige Grund, warum sich so viele Tiere immerzu in der Nähe der Menschen aufhalten: um ihnen beizustehen. Und zwar stumm, nach Art der Tiere, weil Stummheit die einzige Weise ist, in der fortlaufendes Mitleid sowohl ausgedrückt als auch ertragen werden kann. Meine Einfälle über Tiere/Menschen/Mitleid gefallen mir. Du hättest Anthropologe werden sollen, räsoniere ich, das wäre besser gewesen. Ich schiebe einen Sessel an das offene Fenster, hole mir aus der Minibar eine kleine Flasche Sekt und lasse mich nieder. Auf dem Fensterbrett liegt eine tote Fliege. Ihre kleine schwarze eingetrocknete Leichenhaftigkeit sieht ganz wunderbar aus. Der starre tote Körper nimmt Stellung gegen den Kitsch des Zimmers und löst seine Aufgabe glänzend. Der Sekt ist kalt und frisch und muntert mich genauso auf wie die Frechheit der toten Fliege. Ich hole mir eine zweite Flasche Sekt aus der Minibar, kehre zum Fenster zurück und spreche in der Art eines Golem den Tieren draußen ein passendes Lebensalter zu: Die Fliegen sollen künftig zehn Jahre alt werden, die Schwalben fünfzig, die Enten hundert – und die Hunde sollen unsterblich sein, wegen ihrer Verdienste um die Menschen. Meine Stimmung schlägt um. Eine selige Unglückseitelkeit breitet sich in mir aus und macht mich stolz auf mein Liebesverhängnis. Ich begreife den Stimmungsumschwung nicht, nehme ihn aber dankbar hin. Schließlich sind es solche emotionalen Verstrickungen, sage ich mir, die den Menschen individuieren und seinem armseligen Dasein doch noch eine unverwechselbare Gestalt geben. Ich will jetzt keine Sekunde meiner Liebesverschlingungen missen, weder die mit Sandra noch die mit Judith. Sie sind es, die mir die Kraft geben, das Einerlei meines Lebens und meines Berufs auszuhalten. Wenige Sekunden später schließe ich das Fenster und ziehe mein Sakko an. Der Schweiß auf meiner Stirn ist getrocknet, ich entferne die Papierfitzelchen. In der Toilette betätige ich die Spülung und schaue seltsam schweigend dabei zu, wie mein bräunlich-roter Urin verschwindet. In aufgeräumter Stimmung begebe ich mich eine halbe Stunde später nach unten und begrüße die Seminarteilnehmer mit einer kurzen launigen Rede. Hinterher plaudere ich mit den Leuten auf eine Art, die ich sogar selbst als charmant empfinden muß.

Am folgenden Morgen hat sich der Salon ›Burgund‹ in einen kleinen Konferenzraum verwandelt. Auf den hufeisenförmig zusammengeschobenen Tischen liegen weiße Damasttücher. Auf jedem Platz steht ein Glas und eine Karaffe mit klarem Schweizer Gebirgswasser, daneben liegen je ein Hotelbleistift und ein Notizblock. Die Damen sind perfekt gekleidet und geschminkt. Die Herren machen, wie so oft, einen eher mitläuferischen Eindruck. Es ist offenkundig, daß der Besuch des Seminars auf den

Willen der Frauen zurückgeht. Die allein angereiste Wirtschaftsanwältin, die mir gestern abend versichert hat, daß sich ihr Wertegefüge gerade verändert, sitzt nur drei Meter von mir entfernt und schaut mich unentwegt an. Eine Investmentexpertin aus Stuttgart, die sich auf der rechten Hufeisenhälfte niedergelassen hat, legt immer mehr von sich ab. Zuerst die Uhr und den Armreif, dann die Brille und die Ohrringe. Gerade zieht sie ihre Schuhe aus, dann sind Ring und Haarspange dran. Mit Ausnahme der Schuhe liegen alle Gegenstände auf dem Tisch. Die links sitzende Geschäftsführerin eines Reisebüros leckt sich während meines Vortrags das Karmesinrot von den Lippen. Darunter kommen sanfte, himbeerfarbene Lippen zum Vorschein, die viel eindrucksvoller sind als die blutrot geschminkten Lippen von zuvor, was ich der Frau am Nachmittag vielleicht sagen werde. Ich bin in hervorragend apokalyptischer Stimmung und schleudere mustergültig gehaltvolle Sätze in den Konferenzraum. An der Wirtschaftsanwältin fällt mir ein beständiges Zittern auf, das von ihren Händen ausgeht und von diesen zum Glas und von diesem in das Wasser im Glas weitergeleitet wird. Frau Vogt, die Reisebürochefin, verläßt den Raum, kehrt mit frisch geschminkten Lippen zurück, die sie sich jetzt wieder ableckt. Frau Schmittner, eine stillende Zahntechnikerin, verbreitet Unruhe. Ihr Mann fährt den Säugling draußen in den Fluren umher. Wenn das Kind schreit und von dem Mann nicht mehr beruhigt werden kann, ruft er per Handy Frau Schmittner zum Stillen nach draußen, was Frau Dr. Krüger, die Wirtschaftsanwältin, mit Verärgerung beobachtet.

Die Preisgabe der Diskretion im öffentlichen Raum ist eine Vorstufe zum faschistischen Ordnungsdenken, sage ich mit leicht angehobener Stimme. Die Preisgabe führt dazu, daß Menschen wegen individueller Eigenschaften oder wegen eines abweichenden biographischen Datums öffentlich gekennzeichnet werden können, und sie führt außerdem dazu, daß die Gekennzeichneten selbst den zwiespältig gefährlichen Charakter ihrer Kennzeichnung nicht durchschauen. Denken Sie an die vielen Behinderten, Homosexuellen, Ausländer und sonstigen Fremden, die sich im Schein der Toleranz outen; sie überschätzen einen kurzen Anerkennungseffekt, den ihnen die Selbstkennzeichnung einbringt, und sie unterschätzen beziehungsweise verkennen die Bedrohung, die langfristig auf sie zukommt. In den Augenblicken der Selbstkennzeichnung, sage ich, weiß niemand, ob sie dem Gekennzeichneten nutzen oder schaden wird. Erst *nach* der Kennzeichnung schlagen die Normen wieder zurück. Denn nur in der großen Menge, sage ich, die sich der Ähnlichkeit mit sich selbst immer sicher ist, entsteht das Bedürfnis nach Diskriminierung derer, die dieser Ähnlichkeit nicht oder nicht ausreichend nachkommen. Jeder neue Faschismus, sage ich, ist die Folge eines Systems gelungener Kennzeichnungen, die nicht mehr zurückgenommen werden können.

Der Beifall für meine Rede ist stark. Ich setze mich, um den Beifall zu drosseln, aber es klappt nicht. Ich erhebe mich erneut, verbeuge mich in drei Richtungen, bleibe etwa eine halbe Minute stehen und setze mich wieder. Wie vorgesehen kündige ich die Mittagspause an und verweise auf den Nachmittag, an dem wir meine Thesen und die faschistisch-apokalyptische Gefahr überhaupt diskutieren wollen. Es gibt wie immer ein paar Teilnehmer, die nicht bis zum Nachmittag warten wollen. Sie folgen mir in die Lounge und nötigen mich, an einem kleinen Tischchen Platz zu nehmen. Drei Seminarteilnehmer setzen sich ungefragt dazu und verlangen Kaffee. Eine Bedienung teilt Tassen aus und bringt eine Kanne mit Kaffee. Eine andere Bedienung stellt Schälchen mit Gebäck und Schokolade ab. Die Kaffeekanne ist ein hochmodernes, vermutlich vollautomatisches Gerät. Muß man den Deckel aufdrehen, aufklappen, aufdrücken, aufschieben, aufstoßen oder aufpressen? Wahrscheinlich muß man Griff und Kanne festhalten; oder führt der festgehaltene Deckel in den Augenblicken, wenn sich die Kanne über eine Tasse neigt, direkt ins Unglück? Vielleicht muß man den Deckel nur ein Stück weit aufdrehen und dann aufklappen? Die Teilnehmer an meinem Tisch bemerken meine Angst vor fremden Kaffeekannen und sind mir behilflich. Wahrscheinlich geht alles automatisch, sobald man die Kanne in die Schieflage bringt, sagt Herr Hochmüller, ein selbständiger Kraftfahrzeugsachverständiger aus Hannover. Aber auch er hat keinen Erfolg. Immerhin reden wir jetzt nicht über Faschismus und Apokalypse, sondern über den Ruin durch übertrieben komplizierte Technik. Deswegen gerate ich nicht in Versuchung, meine Faschismus-Thesen weiter auszudifferenzieren. Eines meiner inneren Probleme ist, daß ich immer gern etwas voraussagen möchte. Jetzt sage ich voraus, daß die Verhunzung der Welt durch kaputte Geräte in kurzer Zeit dramatische Formen annehmen wird. Zu meinem Prophetie-Zwang gehört, daß ich mich fast immer inmitten von Menschen befinde, die mir sofort recht geben.

In den meisten der modernen Geräte, sage ich jetzt, geht nach einiger Zeit entweder die Mechanik oder der Motor oder die Elektronik kaputt. Es ist zu aufwendig, die Mechanik, den Motor oder die Elektronik zu reparieren, sage ich, auch sind die Leute, die die Reparaturen ausführen könnten, inzwischen gestorben, und die nachgewachsenen Mechaniker können immer nur die allerneuesten Geräte reparieren, nicht aber die etwas älteren kaputten. Zurück bleibt ein Riesenfriedhof von kleinen Technikruinen! sage ich. Die Frau des Kraftfahrzeugsachverständigen stimmt mir lebhaft zu. Anstatt Zukunft sagt sie immer Zockonft, woran ich heimlich Freude habe. Endlich bemerkt eine vorübereilende Bedienung unser Unglück mit der Kaffeekanne. Sie ruckelt und preßt so schnell an der Kanne herum, daß wir zwar unseren Kaffee bekommen, aber wieder nicht erfassen können, wie man den Deckel von der Kanne löst. Die kaputten Geräte stehen und liegen überall herum, sage ich, keiner schafft sie weg, aufräumen wäre zu teuer. Wären die Geräte von Hand betreibbar, doziere ich, wären sie auch von Hand reparierbar. Sehr gut! sagt die Wirtschaftsanwältin. Es würden sich Menschen finden, die die zerstörten Geräte retten wollten; sie würden so lange an ihnen herumbasteln, bis sie wieder funktionieren würden. Aber ein kaputtes Modul oder ein zerbrochenes Plastikteil kann niemand mit dem Werkzeug und der Hand reparieren, rufe ich über den Tisch. Also häuft sich der Technikmüll, die Verhunzung der Welt schreitet fort. Das Müllankündigungswort heißt Automatic, mit c geschrieben, damit es global Schaden anrichten kann. Denn überall, wo wir das Wort Automatic lesen, sage ich, müssen wir uns einen Müllplatz dazudenken. Das Ruinwort Automatic kündigt ihn an! Zum Glück sitzen meine Zuhörer in feinen Sesselchen, sonst würden sie mir jetzt zu Füßen liegen.

Frau Dr. Kuch drückt es deutlich aus: Sie sprechen mir aus der Seele! sagt sie und schickt einen seelenvollen Blick hinterher. Ohne besondere Absicht habe ich mich in einen nicht im Programm stehenden Nebenvortrag hineingeredet. Frau Dr. Kuch hat den Mechanismus der Kaffeekanne durchschaut. Sie fühlt sich seit einigen Augenblicken für meine Bedienung zuständig und füllt mir Kaffee nach. Da flutet eine Schar wohlhabender deutscher Rentner in die Lounge. Sie kommen offenbar von einer Exkursion zurück. Obwohl mir der Anblick der Rentner Unbehagen einflößt, bin ich für ihr Erscheinen dankbar. Sie geben mir die Chance, meinen Technikmüll-Vortrag unauffällig zu beenden. Meine kleine Apokalyptiker-Runde fühlt sich aufgescheucht. Es ist unklar, worin das von den Rentnern verbreitete Unbehagen besteht. Vielleicht geht es von ihrer Einheitskleidung aus. Fast alle tragen helle Popelinejacken, helle Leinenhosen, hellbeige Hemden und sahnefarbene Schuhe beziehungsweise Sandalen. Vielleicht wird es auch von der zufriedenen Tumbheit ihrer Gesichter ausgelöst, von der schamlosen Selbstgewißheit derer, die sich von morgens bis abends für gesund halten müssen. Meine kleine Apokalyptiker-Runde läuft auseinander. Wir sehen uns später, sage ich und nicke mehrmals. An einer Stelle, an den ausgebeulten, weil zu lange getragenen Schuhen, zeigt sich doch das Alter der Leute. Die unförmig gewordenen Füße haben den Schuhen von innen ihre Form aufgedrängt. Besonders vorne, im Zehenbereich, stehen die Ausbuchtungen der Oberteile über die Randnaht hinaus. Obwohl die Rentner sichtbar ermüdet sind, greifen sie nach herumliegenden Handzetteln, Prospekten und Fahrplänen; oder sie schlagen Speisekarten auf und beugen sich über die kleine Schrift auf den Anzeigetafeln rund um die Rezeption; oder sie nennen sich Telefonnummern von Ärzten und rufen sich die Namen von Arzneimitteln zu, für die sie dann gleich wieder nach kleinen Zettelchen zum Aufschreiben suchen.

5

Am folgenden Morgen bin ich schon vor sieben Uhr auf dem Weg in den Breakfastroom. Ich möchte während des Frühstücks nicht reden, keine fremden Gesichter sehen und nach Möglichkeit einen Tisch für mich allein haben. Aber dann muß ich sehen, daß viele Gäste den gleichen Wunsch haben. Fast ein Dutzend Menschen trifft ratlos im Frühstücksraum zusammen und weiß nicht, wo und wie man sich eine halbe Stunde zurückziehen kann. Ich habe besonderes Pech. Ich steuere zwar auf einen der wenigen noch freien Tische zu, aber kurz nach mir erscheint Frau Schmittner, die Zahntechnikerin, mit Mann und Kind. Das Kind sitzt im Kinderwagen, den Herr Schmittner im Raum umherschiebt. Die Familie folgt mir und besetzt die noch freien Plätze an meinem Tisch. Frau Schmittner zerkleinert sofort eine Banane zu Brei und füttert damit das Kind. Herr Schmittner besorgt am Buffet Brötchen, Butter, Käse, Marmelade für uns alle. Frau Schmittner findet meinen gestrigen Vortrag »extrem relevant«. Während sie das Kind füttert, will sie wissen, wie ich in meine Zukunftsvision die faschistischen Horden einordne, die bereits jetzt Ausländer und Behinderte zu Tode prügeln. Glauben Sie, daß der Staat dabei ein Auge zudrückt? fragt sie. Ein Socken des Kindes rutscht aus dem Kinderwagen heraus und fällt auf den Fußboden. Frau Schmittner hebt den Socken auf und legt ihn auf den

Tisch. Herr Schmittner gießt uns Kaffee ein und fragt, was er auf unsere Teller legen soll. Ein schon geöffnetes Butterschälchen fällt in den Kinderwagen. Unser Sohn heißt Ferdinand, so heißt sonst niemand, sagt Frau Schmittner und lächelt. Das Kind ergreift das Butterschälchen und leckt es fast ganz aus. Frau Schmittner ist entsetzt, als sie den butterverschmierten Mund des Kindes sieht. Sie nimmt Ferdinand das Butterschälchen weg, das Kind fängt an zu greinen. Das Kind will das Butterschälchen zurück, sonst nichts. Frau Schmittner setzt sich den weinenden Ferdinand auf den Schoß, sie versucht ihn mit Bananenbrei zu füttern und redet dabei über deutsche Angst, deutsche Gewalt, deutsche Polizei und deutsche Ahnungslosigkeit. Das Kind zeigt jetzt starken Widerstand, es streckt seinen kleinen Körper auf den Schoß der Mutter, so daß Frau Schmittner es nicht mehr füttern kann. Sie bricht das Frühstück ab.

Er kommt jetzt in die erste Schlafphase, sagt Frau Schmittner, vorher werde ich ihn noch ein bißchen stillen; sind Sie nachher noch da, wenn ich zurückkomme?

Ich nicke und verneine zugleich, Frau Schmittner erhebt sich und verläßt mit dem greinenden Kind den Raum. Der Ehemann besorgt ein Tablett und trägt die beiden halb aufgegessenen Frühstücke auf das Zimmer der Schmittners. Ich betrachte den neben einem Marmeladegläschen liegenden Kindersocken, den Herr Schmittner mitzunehmen vergessen hat. Da erscheint Frau Dr. Krüger, die Wirtschaftsanwältin. Sie fragt, ob sie sich zu mir setzen darf, ich räume den Socken und zwei stehengebliebene Gläser zur Seite. Frau Dr. Krüger beschwert sich mit sanfter Stimme über die modernen Hotels.

Obwohl genug Personal da ist, sagt sie, muß sich jeder

Gast am Buffet anstellen und mit seiner Kaffeetasse den Frühstücksraum durchqueren, eine Zumutung ist das.

Ich stimme zu und verstärke die Kritik, indem ich auf ein ärgerliches Frischluft-Aggregat aufmerksam mache, das an der Decke hängt und viel zu kalte Luft auf die Tische herabbläst. Die Hotelkritik bringt eine gute Stimmung zwischen uns hervor. Frau Dr. Krüger nimmt kleine Schlucke Kaffee und sagt: Ich sitze zusammen mit achtundzwanzig Kollegen in einer Düsseldorfer Kanzlei.

Ich atme deutlich hörbar ein und aus und sehe gepeinigt auf den Fußboden. Frau Dr. Krüger beginnt morgens um acht mit ihrer Arbeit und verläßt das Büro nicht vor neun. Auch zu Hause muß sie das Handy eingeschaltet lassen. Frau Dr. Krüger klagt nicht, aber ich begreife, die Beschreibung ihrer Lebensumstände ist schon die Klage. Frau Dr. Krüger ißt nur ein halbes Brötchen und verläßt dann mit halb leidenden und halb lasziven Bewegungen den Tisch.

Auch ich will aufbrechen, aber da tritt einer der gestern eingetroffenen Rentner an meinen Tisch und bittet um fünf Minuten Aufmerksamkeit. Er stellt sich vor: Dr. Neuner, Anästhesist aus Saarbrücken.

Ein Teil unserer Naturkundegruppe möchte gerne Ihr Apokalypse-Seminar mitmachen, sagt Dr. Neuner, ist das noch möglich?

Aber ja, sage ich.

Ihr Seminar ist sehr gelobt worden, sagt Dr. Neuner. Es sind elf Personen aus unserer Gruppe, die sich gern noch anmelden würden.

Kein Problem, sage ich und biete an, für die verspätet Angemeldeten eine Kurzfassung des gestrigen Vortrags nachzuholen. Dr. Neuner ist erfreut und will die Botschaft gleich bei seinen Clubfreunden verbreiten. Gerade der gestrige Vortrag ist von Ihren Seminarleuten sehr gerühmt worden, sagt Dr. Neuner.

Ich schlage vor, die Kurzfassung um 12.00 Uhr im Salon ›Burgund‹ zu referieren, unmittelbar vor dem Mittagessen.

Dr. Neuner nickt; er kündigt an, daß seine Clubfreunde, die er die »geistig Regsamsten der Sektion Saarbrücken« nennt, den vollen Seminarpreis bezahlen werden.

Aber jetzt gehts erst weiter mit dem zweiten Vortrag, pünktlich um zehn Uhr, sage ich.

Dr. Neuner freut sich und lacht.

Ist das nicht ein bißchen viel Apokalypse auf einmal? frage ich scherzhaft.

Wir haben schon viel härtere Bildungstermine durchgestanden, antwortet Dr. Neuner ebenso scherzhaft.

Noch während wir reden, spüre ich ein starkes Jucken an der rechten Hand. Ich höre Dr. Neuner zu und kratze mich, bis meine rechte Hand langsam rot anläuft.

Also bis zehn Uhr, sagt Dr. Neuner und erhebt sich; das Finanzielle regeln wir nach dem Mittagessen.

Ist gut, mache ich.

Ich muß den Frühstücksraum verlassen, ehe Frau Schmittner zurückkehrt. Bis zum Beginn des zweiten Vortrags muß ich unbedingt eine Stunde lang allein sein. Es gelingt mir, dem Frühstücksraum unbehelligt zu entkommen und das Foyer zu durchqueren. In der Toilette sehe ich, daß mein Urin heute schaumig ist. Wie Bier mit weißer Schaumkrone schießt der Strahl in die Schüssel. Dann werden auch noch kleine weiße Bläschen sichtbar. Ich bin beunruhigt, aber nicht lange. In Wahrheit bin ich freudig erregt über die elf neuen Teilnehmer. Dieser Zuwachs macht mein Seminar zum erfolgreichsten meiner ganzen Apokalyptiker-Karriere. Jetzt wird mich die Geschäftsführung umsonst wohnen lassen und mir die Reisekosten bezahlen. Erst draußen, während ich einen stillen Parkweg entlanggehe, sehe ich, daß sich zwischen den Fingern meiner rechten Hand ein Ekzem gebildet hat. Es juckt, ich kratze mich und verstärke das Ekzem. Ich bin ein einschlägig gebildeter Amateurmediziner (Tausend Zeitungsartikel! Tausend Fernsehsendungen!) und weiß als solcher, daß ein Ekzem zur Hälfte durch eine Allergie und zur anderen Hälfte durch ein ungesund gewordenes Seelenleben entsteht. Kühl diagnostiziere ich (und kratze mich dabei): Noch schneller als geplant mußt du dein Frauenproblem lösen. Ich betrete eine wunderbar saubere, total schweizerische Apotheke und halte meine rotglühende Hand über die Theke. Eine junge Apothekerin sagt: Ich kann Ihnen im Augenblick nur eine Creme verkaufen, die den Juckreiz mildert. Am besten ist, Sie gehen zum Hautarzt.

Ich bedanke mich und kaufe das kleine Döschen. Draußen creme ich mir die Hand ein und tue eine Weile so, als hätte ich mich endgültig für Sandra entschieden. Nein, für Judith. Ich gehe langsam und schwenke meine mit Creme vollgeschmierte Hand im Wind. Wenn ich mich nicht täusche, läßt das Jucken schon nach. Ich betrete das Hotel und tupfe mir die oberste Cremeschicht mit einem Papiertaschentuch wieder ab, damit meine Hand nicht gar zu glitschig ausschaut. Kurz vor zehn Uhr erscheine ich mit Vortragsmappe im Salon ›Burgund‹. Der Saal ist voll. Die Saarbrücker Rentner schauen mich mit kaum beherrschter Vorab-Zustimmung an. Etwa dreißig Minuten lang rede ich präzise und druckvoll über die hochexplosive Einnistung faschistischer Kräfte in ehemals demokratischen Nischen. Im Salon ist es absolut still. Ich schaue in die gefrorenen Gesichter der Leute. Vermutlich haben sie das Gefühl, an bedeutsamen Enthüllungen teilzunehmen. Dennoch verlasse ich ohne Not nach dreißig Minuten das engere Feld der politischen Apokalypse und verwandle mich in einen Dekadenzpessimisten und Alltagsberater. Vermutlich schwächt mich der Anblick der Rentner. Ich sehe ihnen an, daß sie Hilfe brauchen und Hilfe erwarten. Ich kann nicht längere Zeit mit Hilfsbedürftigen zusammensein und ihre Hilfsbedürftigkeit übersehen. Deswegen sage ich ihnen, daß sie sich schützen müssen. Meiden Sie die überreizten Städte! Suchen Sie sich ungefährliche Schleichwege! Gehen Sie der hypermodernen Nervosität nicht in die Falle! Und melden Sie jede Gewalttat, die Sie sehen oder von der Sie hören, sofort der Polizei, auch wenn es überflüssig scheint und Sie wissen, daß die Täter nicht verfolgt werden. Notfalls muß der Staat erst durch die Zahl der unaufgeklärten Verbrechen auf die Idee kommen, daß wir mit soviel eingetrocknetem Blut nicht leben wollen! Meine Zuhörer merken offenbar nicht, daß ich das Genre gewechselt habe. Im Gegenteil, sie halten den Schlußteil meines zweiten Vortrags für besonders zeitnah, menschlich und aufklärerisch. Noch während des Vortrags kommt mir mein Leben verpfuscht vor. Du wühlst für Geld das Gefühlsleben von Rentnern auf, deine elende Beredsamkeit schreckt nicht davor zurück, dich als Visionär des Untergangs aufzuspielen. Der Beifall nach dem Vortrag ist mächtig und lang anhaltend. Ich erhebe mich und verbeuge mich und richte den Blick aus dem Fenster hinaus in die edle Naturferne. Die Seminarteilnehmer wollen sofort mit der Diskussion beginnen, aber ich verweise programmgemäß auf den Nachmittag. Das heißt, eine halbe Stunde vor dem Mittagessen hole ich für die Saarbrücker Rentner eine Kurzfassung des gestrigen Vortrags nach. Hinterher bin ich erschöpft, aber meine Ermattung wird mir als Verdienst angerechnet. Die meisten der Saarbrücker Naturfreunde zahlen bar; drei geben mir einen Scheck, drei wollen eine Rechnung nach Hause geschickt haben. Ich notiere sorgfältig alle Details. Die Abwicklung des finanziellen Teils verstärkt das Gefühl des verpfuschten Lebens. Ich nenne mich einen Kassenwart der Lebensangst und spiele mit dem Gedanken, mit meinem Vortrags-Tourismus zu brechen, noch heute, sofort. Die Ratlosigkeit darüber, was ich statt dessen treiben soll, macht meinen Blick vermutlich flimmernd. Ich sitze da, nippe an meinem Glas und warte darauf, daß sich der Salon leert. In diesen Augenblicken schwebt eine schweizerische Saaltochter in den Raum. Sie ist höchstens zwanzig, klein, schlank, ein bißchen puppig, dabei hübsch und freundlich, mit dunklen Augen und einem schönen Mund. Ich möchte sie am liebsten samt ihrer weißen Schürze und dem schwarzen Haarband in Geschenkpapier einwickeln und mit nach Hause nehmen. In der rechten Hand trägt das Mädchen eine Weinflasche, deren Öffnung sie über mein Glas hält. Während sie mein Glas vollschenkt, schaut sie mich nicht an. Erst danach verbeugt sie sich knapp, hebt den Blick und verläßt den Raum. Aus Dankbarkeit für die Erscheinung trinke ich mein Glas auf einen Zug leer und hoffe, die Saaltochter werde erneut mein leeres Glas entdecken und noch einmal nachschenken. Eine leichte Mittagstrunkenheit und Stimmungsschwere macht mir zu schaffen. Seitlich einfallendes Sonnenlicht macht mich auf den Staub auf meinen Brillengläsern aufmerksam. Ich nehme die Brille ab und putze die Gläser mit einer Papierserviette. Die Wirtschaftsanwältin tritt an meine Seite und gibt mir wortlos ihr Brillenputztuch. Sie können es behalten, sagt Frau Dr. Krüger, ich habe noch eines. Oh, vielen Dank, mache ich und verbeuge mich im Sitzen. Eine Weile fesselt mich die Eigenart der Saarbrücker Rentner, daß sie fast alles, was sie einander mitteilen, zwei- bis dreimal wiederholen. Ich sehe zur Tür, die Saaltochter tritt nicht ein. Ich erinnere mich an ihre kleine, mollige Hand, als sie die Weinflasche hielt. Ich spürte das Verlangen, die Hand zu berühren. Jetzt erinnere ich mich an meine Jugendzeit, als die Berührung einer Mädchenhand eine unvorstellbare Zufriedenheit auslöste, die wochenlang anhielt. Jetzt kommt eine noch ältere Erinnerung: wie ich als Kind im Kinderwagen saß und von meiner Mutter durch den Regen geschoben wurde. Ich versuchte immer wieder, mit meiner kleinen Hand den Ausgang des über mich gespannten Regencapes zu finden, und fand ihn nicht. Statt dessen fuhr ich mit der Hand an der Innenseite des Capes entlang und begann nach einiger Zeit zu weinen, weil meine Mutter meine Not nicht bemerkte. Es erstaunt mich die enorme Wirkung der Hand der Saaltochter.

Ich verteile, wie immer bei solchen Seminaren, Fragebögen an die Teilnehmer. Gefragt wird nach der Zufriedenheit mit der Tagung. Die Leute können vier Kategorien ankreuzen: sehr zufrieden, zufrieden, nicht zufrieden, unzufrieden. Fast alle sind sehr zufrieden. Nur eine Frau ist unzufrieden, ein Mann ist nicht zufrieden. Ich werde noch eine Nacht bleiben und versuchen, mich hier ein wenig auszuruhen. Aber mir schwant, daß ich keine Ruhe finden werde. Mein Ekzem glüht. Ich denke nicht an Judith und nicht an Sandra, ich denke an die Saaltochter. Ich weiß nicht einmal, wie sie heißt. Nicht zum ersten Mal habe ich die Vorstellung, Judith *und* Sandra zu verlassen und mit einer neuen Frau einen neuen Lebensabschnitt zu beginnen. Und nicht zum ersten Mal bin ich überzeugt, daß diese Idee ein großer Quatsch ist, meiner unwürdig. Die Saaltochter ist noch diesseits aller Fürchterlichkeiten, die im Namen der Liebe in ihr Leben eintreten werden. Allerdings gibt es einen Quatsch zweiter Ordnung, der den Quatsch erster Ordnung außer Kraft setzt und sich über diesen erhebt. Der Quatsch zweiter Ordnung sagt zu mir: Berühre die Hand der Saaltochter, sie wird dich besänftigen. Es beschleicht mich das Gefühl, ich weiß heute noch weniger als gestern und vorgestern, was ich tun soll. Ich darf auf keinen Fall zulassen, daß aus meinem Problem eine innere Verknotung wird, aus der ich nicht mehr herausfinde. Du hast immer den doppelten Boden oder die zweite Wirklichkeit gesucht, auch in der Liebe, das heißt, du hast eine komplizierte Lebensweise gewählt, und dafür mußt du jetzt bezahlen, aus. Ich habe alles, was ich hinsichtlich meines Konflikts denken kann, schon zu oft gedacht. Die Wiederholung der immer gleichen Gedanken und Befürchtungen belastet mich unerträglich. Gerade wiederhole ich erneut eine dieser überflüssigen Erwägungen. Obwohl ich weiß, daß eine andere Frau mein Problem nicht löst, frage ich mich zum dritten Mal, ob ich die Saaltochter nicht … Mein Gott, was für ein Quatsch dritter Ordnung. Ich frage mich, ob ich langsam gemütskrank werde. Wie froh bin ich, daß niemand etwas von meiner inneren Zersplitterung erfahren muß. Ich warte, bis alle Seminarteilnehmer den Raum verlassen haben.

Das Problem des Alterns ist: Man erfährt zuviel Neues über sich, aber das Neue ist undeutlich und wirr. Es ist still geworden. Ich gehe zur Tür und prüfe nach, ob sich niemand auf dem Flur befindet. So gut wie alle Seminarteilnehmer haben ihre Hotel-Bleistifte und Notizblöcke an ihren Plätzen zurückgelassen. Ich brauche keine Bleistifte und keine Notizblöcke, aber ich sammle Bleistifte und Notizblöcke ein und verstaue sie in meiner Kollegmappe. Der kleine räuberische Akt verschafft mir eine gewisse Erleichterung. Es muß etwas geben, wonach ich mich immerzu sehne, irgendeine innere Unstillbarkeit. Oder leide ich inzwischen an Liebesverblödung? Ich muß den Konferenzsaal verlassen, damit mich niemand mit dem Verschwinden der Bleistifte und Notizblöcke in Verbindung bringen kann. Schon erregt mich das Wort Liebesverblödung. In einem meiner Nebenberufe bin ich auch Laienpsychologe, aber über Liebesverblödung habe ich bisher weder einen Artikel gelesen noch eine Fernsehsendung gesehen. In einem Seitenflur begegnet mir der Geschäftsführer des Hotels. Er bleibt stehen und flüstert mir zu, daß ich umsonst logiere und auch keine Restaurant-Rechnungen bezahlen muß. Ich verberge mein Behagen nicht und sage: Sehr nett, vielen Dank. Sie bleiben doch noch bis morgen? Gern, ja, mache ich, als hätte er mich soeben auf diese Idee gebracht. Eine mit Alkohol und Panik vermischte Sehnsucht ergreift mich. Dabei weiß ich nicht einmal, wonach ich mich sehne. Es ist möglich, daß aus der Liebe zu Sandra und Judith längst eine *ehemalige* Liebe geworden ist, die ich aus Selbstsucht und Angst nicht als solche enthülle. Dann wäre ich mit Sandra und Judith nur noch aus Gründen der Altersanhänglichkeit zusammen. Das ist die übliche Niedertracht des Denkens, die ein Teil meiner Panik ist. Ich muß nur ein Weilchen warten, dann geht die Niedertracht vorüber, wie sie immer vorübergegangen ist. Ich habe nicht für möglich gehalten, daß es eine so mächtige innere Unbeholfenheit wie die meine überhaupt gibt. Vermutlich sehnt sich meine Sehnsucht nach etwas, was es nicht gibt. Dieses phantastische Moment wäre (ist) der Kern der Liebesverblödung. Ich benutze den Begriff Liebesverblödung, als wüßte ich, was Liebesverblödung ist. Ich gehe in mein Zimmer und verstaue die Bleistifte und die Notizblöcke in meinem Koffer. Es regnet, offenbar schon seit einer Weile. Den Rest des Sonntags will ich nicht im Hotel verbringen. Auf keinen Fall will ich auf den Fluren des Hotels meinen Seminarteilnehmern begegnen und einen weiteren ungeplanten Vortrag halten. Ich creme mir beide Hände ein und schaue aus dem Fenster. Plötzlich will ich belohnt werden dafür, daß ich mein eigenes Seminar ausgehalten habe. Und das Hotel! Mein Zimmer! Das Sirren der Minibar! Ohne einen Mucks bis zu dieser Stunde! Wenig später gelingt es mir, die Rezeption zu erreichen, ohne einem einzigen Seminarteilnehmer zu begegnen. Im Foyer quält mich kurz das quietschende Geräusch von rollenden Koffern, an das sich die Menschheit offenbar problemlos gewöhnt (nur ich mal wieder nicht). An der Rezeption leihe ich mir einen Hotelschirm und bin verschwunden. Der Frühabend ist trotz des (nachlassenden) Regens warm, fast schwül. Leer und verlassen liegen die nassen Straßen da, die meisten Geschäfte haben geschlossen. Eine Drogerie hat geöffnet, ich stelle mich vor das Schaufenster und betrachte eine junge Frau, die mit einem Kleinkind auf dem Arm im hellweißen Inneren der Drogerie steht. Ich schaue auf ein nasses Dach, auf einzelne nasse Ziegel, auf zwei nasse

Schornsteine, auf eine nasse Fernsehantenne, auf zwei nasse Tauben, die sich in einer nassen Dachrinne paaren. Die junge Mutter verläßt die Drogerie und trägt ihr Kind dicht an mir vorüber. Zart und weich wie in ein paar Staubwölkchen stößt der Wind in das trockene Haar des Säuglings. Aus Langeweile denke ich: Man kann Säuglingshaar mit Staubwölkchen vergleichen, nicht aber Staubwölkchen mit Säuglingshaar. Heute noch will ich verbindlich wissen, ob es Liebesverblödung gibt oder nicht. Ich will in keine Bar, aber ich werde keine Wahl haben. Die Bars sind eng, laut, leer, verlassen. Ich schaue von außen in die Bars hinein und sehe Männer, die wie Verstoßene an den Theken lehnen. Ein Barkeeper tritt mit einer Holzstange aus einem Lokal heraus und stößt mit der Stange von unten gegen die Markise, so daß das Regenwasser seitlich herunterpladdert. Aus Dankbarkeit für das heitere Platschgeräusch trete ich ein. Und will sofort wieder umkehren. An einem der Tische sitzen die Wirtschaftsanwältin und Frau Schmittner, die Zahntechnikerin (ohne Mann, ohne Kind). Aber jetzt bin ich in der Bar und kann nicht einfach wieder umkehren. Ich nicke den beiden Frauen zu, gehe aber nicht an ihren Tisch, sondern stelle mich an die Theke. Vielleicht komme ich so davon. Unterhalb der Theke wische ich mir die Creme wieder herunter, weil ich nicht mit weißlich schimmernden Händen auffallen will. An der Theke stehen ein paar jüngere Männer und eine Frau und reden mit dunklen Stimmen über Kunst, Revolution und Liebe. Ich stehe neben der Frau, deren Schulterblätter sich stark unter ihrem Pullover abzeichnen. Sie reibt, wenn sie spricht, mit einer Daumenspitze so sehr die Haut unterhalb ihres rechten Schlüsselbeins, daß sich dort schon rötliche Pusteln gebildet haben. Ich überlege, ob ich mich in das Thekengespräch einschalten und dann das Thema Liebesverblödung in die Debatte einfließen lassen soll. Auf diese Weise könnte ich testen, ob vier offenkundig gebildete Menschen Liebesverblödung für möglich halten oder nicht. In diesen Augenblicken macht mein Bewußtsein aus dem Wort Liebesverblödung das Wort Liebesblödigkeit. Auch dieses Wort habe ich nie gehört. Durch den Andrang des neuen Wortes fühle ich mich behindert und nehme nicht an der Thekenunterhaltung teil. Ich versuche, mein Bewußtsein anzuschauen, aber es hat keine Gestalt und kein Gesicht. Dafür meldet sich der Laienpsychologe in mir und schleudert mir den Begriff Aphasie! entgegen. Genau! Still und heimlich habe ich mich in einen Aphasiker verwandelt, das heißt, ich leide an einer Störung des Sprachzentrums im Gehirn. Momentweise bin ich völlig hoffnungslos. Gegen eine Aphasie ist mein schaumiger Urin die reine Kinderei. Ich bestelle ein Glas Merlot. Die Frau hinter der Theke reicht mir einen kleinen Korb mit Mohngebäck und eine Schale mit grünen Oliven. Ich betrachte die Gäste an den Tischen. Es sind verdrossene Persönlichkeiten, die meisten unbekannt in ihre Innenwelt verzogen. Ein dunkelhäutiger Mann betritt mit einem kleinen Karton unterm Arm die Bar. Er verbeugt sich knapp vor Frau Schmittner. Aus seinem Karton holt der Mann eine Art Wunderbürste heraus und beginnt, Frau Schmittner mit der Bürste über den Rücken zu fahren, dann über die Schultern und die Arme. Die Leute an der Theke unterbrechen ihr Revolutionsgespräch und beobachten den Mann mit der Wunderbürste. Es handelt sich um eine Art Massagegerät, das der Mann nach einer Weile an Frau Schmittner verkaufen will. Darüber müssen die Thekensteher und Frau Schmittner lachen. Ich dachte zuerst, der Mann mit der Bürste ist ein Betrüger, dabei ist er nur hoffnungslos. Für die Dauer des Lachens sind die Gäste der Bar miteinander vertraut. Inmitten des Gelächters packt der Mann seine Bürste wieder ein und verläßt kleinlaut das Lokal. Jedesmal, wenn ich mein Mohnbrötchen zum Mund führe, fallen einzelne Mohnkörner auf die Theke herab. Die Wirtin schaut zu mir her mit demselben Blick, mit dem sie schon das Treiben des Bürstenverkäufers mißbilligt hat. Ich fange an, die einzeln auf der Theke herumliegenden Mohnkörner mit dem Zeigefinger der rechten Hand einzeln aufzuklauben (sie bleiben an meiner cremefeuchten Fingerspitze hängen) und sie im Hohlraum meiner anderen Hand zu sammeln. Die Wirtin ist von meinem Sauberkeitssinn beeindruckt und lächelt mich jetzt an. Ich höre mit meiner Ordnungstätigkeit erst auf, als ich das Mohnbrötchen ganz aufgegessen und das letzte Mohnkorn sicher in meiner anderen Hand verstaut habe. Der Hintergrund meines Einsatzes für ein sauberes Thekenleben ist für die Wirtin uneinsehbar. Während des Auftupfens der Mohnkörner verfliegt meine Verstimmung darüber, daß ich nicht weiß, ob es Liebesverblödung und/oder Liebesblödigkeit gibt oder nicht. Sogar die Angst, daß ich an Aphasie erkrankt sein könnte, geht zurück. Um so dankbarer schaue ich die Wirtin an. Sie hat schon die Flasche in der Hand und will mir nachschenken, aber ich wehre ab und zahle.

Draußen, auf der Straße, beobachte ich kurz eine verrückte Frau in einer Telefonzelle. Während sie telefoniert (telefoniert sie wirklich?), reißt sie immer mehr Seiten aus dem Telefonbuch, zerknüllt sie und wirft sie auf den Boden der Telefonzelle. Ich zerstreue die Mohnkörner in meiner Hand in alle vier Himmelsrichtungen.

6

Du bist erschöpft, du hast Hunger, dein Eisschrank ist so gut wie leer und zum Einkaufen hast du keine Lust, sagt Sandra am Telefon.

Du hast in allen vier Punkten recht, antworte ich.

Wir lachen.

Daran bin ich zum Glück gewöhnt, sagt Sandra; ich mache dir ein Angebot, ich komme gegen halb sieben mit einem gefüllten Picknickkorb bei dir vorbei.

Wunderbar, sage ich, ich werde den Tisch decken.

Ich bin tatsächlich erschöpft, aber ich bin zu unausgeglichen, um mich ausruhen zu können. Ich packe meinen Koffer aus und verteile die Hotelbleistifte und die Notizblöcke in der Wohnung. Während meiner Abwesenheit hat der Wind eines der unteren Vierecke im Küchenfenster meiner Nachbarin eingedrückt. Frau Schlesinger hat das Loch mit einem Stück Pappe geschlossen. Es ist der graue Karton, der mein Lebensgefühl nach einer Weile beeinträchtigt. Wenn der Karton für immer bleibt, kann ich nicht mehr so leicht leugnen wie zuvor, daß sich das Viertel langsam in eine Arme-Leute-Gegend verwandelt, wofür ich ohnehin schon etliche Anhaltspunkte entdeckt habe. Danach kippt die Bedeutung des Lochs im Fenster. Es wird jetzt zu einer zusätzlichen Aufforderung, das Frauenproblem rasch zu lösen. Dann werde ich auch meine Wohnung verlassen und derartige Anblicke für immer los sein. In meiner Post finde ich eine Anfrage der Evangelischen Akademie in Sattlach, ob ich im Frühherbst eine Apokalypse-Tagung durchführen möchte. Ich hätte nicht gedacht, daß die Apokalypse in diesem Jahr so gut läuft. Natürlich muß ich mich vor Überschätzungen hüten. Es ist möglich, daß schon im nächsten Jahr kein Hahn mehr nach der Apokalypse kräht. Zu den Vorteilen von Akademie-Tagungen zählt, daß ich die gleichen Vorträge, die ich gerade für die Schweiz geschrieben habe, noch einmal halten kann. Ein anderer Vorteil ist: Ich muß mich nicht selbst um Teilnehmer kümmern. Die gesamte Organisation liegt in Händen der Akademie. Ich muß kein einziges Fax schicken, keinen einzigen Brief schreiben. Der Nachteil ist ein vergleichsweise niedriges Honorar. Es ist allerdings ein Garantiehonorar, das ich auch dann bekomme, wenn nur acht Teilnehmer anreisen, was leicht passieren kann. Die Tagung soll im Herbst stattfinden, und bei Nebel und fallenden Blättern beschäftigen sich die Menschen nicht gern mit der Apokalypse. Ein weiterer Nachteil ist, die Leute sind anhänglich wie kleine Kinder. Sie erzählen sich (und leider auch mir) in einem fort ihre aufwühlendsten und dramatischsten Erlebnisse. Sie verfolgen einen bis zum Bahnhof, manchmal sogar bis ins Zugabteil. Ich sitze schweigend dabei und wundere mich. *Alles* läßt im Alter nach, nur der Rededrang nicht, der wird sogar noch stärker.

Das Tischdecken bringt ein paar erzieherische Effekte mit sich, die meinem derzeitigen cholerischen Innenleben entgegenwirken. Schon das Ausbreiten eines frischen weißen Tischtuchs macht mich spürbar schlichter. Die großen Teller und die kleineren Salatteller habe ich noch relativ achtlos hingestellt. Bei den Gläsern, den Kerzen und den

Servietten merke ich, daß ich meine Finger beobachte. Durch die planmäßige und der Schönheit folgende Arbeit der Hände kommt Stetigkeit ins Leben. Wenn ich einen Tisch decke, stelle ich mir vor, daß ich auch morgen und übermorgen wieder einen Tisch decke. Mit dieser Begütigung im Gesicht begrüße ich gegen halb sieben Sandra. Als sie den Tisch sieht, stößt sie Schreie des Entzückens aus. Sie liebt mich, das heißt, sie ist täuschungsbereit und denkt: Der macht das immer so. Sie ist damit einverstanden, daß ich ihr die Bluse öffne und ihr zuerst den Busen und dann den Mund küsse. Eines Tages werde ich mir selbst die Brust öffnen und mir meine überflüssige Kompliziertheit herausreißen und sie für immer an die Wand werfen. Sandra hat einen vollgepackten Picknickkoffer mitgebracht, von dem ich noch eine Woche werde zehren können. Kein Teller, keine Schale, keine Schüssel bleibt leer. Im Handumdrehen leuchtet der Tisch. Rundum sammeln sich Oliven, Artischocken, Radieschen, Maiskölbchen, Peperoni, Salami, Schinken, Käse, Butter, Brot, Nüsse. Sogar ein kühles Bier, Mineralwasser und eine Flasche Rotwein hat Sandra nicht vergessen. Schon in diesen Augenblicken meldet sich ein Zipfel meiner noch nicht an der Wand hängenden Kompliziertheit und flüstert mir zu: Paß auf, Verwöhnung hat Schuld im Gepäck. Ich fühle den Widerstand nur, wenn ich in *meiner* Wohnung umsorgt werde. Wenn die Versorgung in Sandras Wohnung stattfindet, bleibt der Widerstand aus. Das gibt mir Hoffnung. Ich überspiele mein Unbehagen, indem ich in höhnischer Manier von meinen Erlebnissen während des Seminars berichte. Sandra amüsiert die Art, wie ich über die Saarbrücker Rentner herziehe. Nur ich merke, daß mein Hohn nicht den Rentnern gilt, sondern meiner überflüssigen

Schuld. Genaugenommen will ich mit meinem Innenleben nichts mehr zu tun haben. Beziehungsweise, wenn ich könnte, würde ich mein Innenleben nur noch bei besonderen Gelegenheiten an mich heranlassen.

Und was machst du jetzt? fragt Sandra später beim Abräumen des Tisches; du mußt doch hundemüde sein?

Bin ich auch, sage ich; ich werde mir im Fernsehen die erste halbe Stunde eines mäßigen Films anschauen. Der Film wird so schlecht sein, daß ich mir um neun erlauben kann, ins Bett zu gehen.

So kompliziert bist du? fragt Sandra spaßig.

So kompliziert bin ich, antworte ich und schaue Sandra dabei an. Ich habe wie immer das Gefühl, Sandra glaubt nicht an meine Kompliziertheit. Sie hält sie für ein albernes Getue, mit dem ich mich ein bißchen aufspielen will. Sandra packt meine schmutzige Wäsche und die löchrigen Strümpfe und die nach einmaligem Gebrauch bereits verschmuddelte Tischdecke in den Picknickkorb. Ich schaue ihr dabei zu und bin fasziniert davon, wie sich der vor einer Stunde noch leuchtende Picknickkorb ganz rasch in einen dumpfen Wäschekorb verwandelt.

Holst du mich am Freitag vom Büro ab? fragt Sandra.

Ja.

Dann kannst du deine Wäsche wieder mit nach Hause nehmen, sagt Sandra.

Der Hautarzt, den ich zwei Tage später aufsuche, sagt genau das, was ich mir vorgestellt hatte. Mein Ekzem geht zurück auf das Zusammenwirken von neuartigen Umweltgiften und einer seelischen Überlastung, wie sich der Hautarzt ausdrückt. Haben Sie zur Zeit Streß? fragt er. Da ich schweige, redet er für mich. Arbeiten Sie zuviel? fragt er. Ich überlege kurz, ob ich ihm darlegen soll, daß ich mich zwischen zwei Frauen entscheiden muß oder dies wenigstens glaube. Wollen Sie einen Allergietest machen? Nein danke, sage ich. Ich glaube nicht, sagt er, daß Sie eine Problemhaut haben, sonst hätten Sie mich schon viel früher aufgesucht. Er schreibt mir eine Salbe auf, mit der ich meine Hände zwei- bis dreimal täglich einreiben soll. Wenn die Salbe nach einer Woche nicht anschlägt, kommen Sie bitte wieder vorbei, sagt er.

Ich bedanke mich und verlasse die Praxis. Das Wetter ist schwül und klebrig und wird noch schwüler und klebriger werden. Ich besorge mir die Hautcreme und reibe mir auf der Straße die Hände ein. Die Creme hat eine braun-gelbe Farbe und sieht ein bißchen eklig aus. An der Ecke Moselstraße/Siemensstraße kommt mir ein stadtbekannter Halbblinder entgegen. Seine Marotte ist, er trägt eine Katze auf der Schulter. Die Katze hat eine Leine um den Hals, deren Ende der Mann mit der rechten Hand umschließt. Ich kann den Mann eigentlich kaum ertragen, aber in schwierigen Lebensmomenten hilft mir sein Anblick. Es ist offenkundig, daß er die Katze zwingt, den unbequemen Platz auf seiner Schulter einzunehmen. Während des Gehens rutscht das Tier immer wieder nach hinten ab und krallt sich dann am Kragen des Mannes fest. Wenn die Katze zu stark nach unten abzurutschen droht, bleibt der Mann stehen und läßt sie wieder auf die Schulter hochkrabbeln. Gewöhnlich geht der Mann mit dem Tier in die Innenstadt und setzt sich zum Betteln irgendwohin. Gerade fällt mir auf, daß er seit neuestem zwei Blindenbinden trägt, an jedem Arm eine. Vermutlich ist er nicht blind, deswegen braucht er die Bekräftigung des Blindseins. Gerade will ich wieder in meinem Inneren gegen den Mann polemisieren, da fällt mir auf, daß mir sein groteskes Bild über meine cremeverschmierten Hände hinweghilft. Ich bleibe sogar stehen, schaue ihm eine Weile nach und vergesse darüber mein Ekzem, jedenfalls vorübergehend.

Kurz vor dem Eintreffen in meiner Wohnung fängt mich Frau Schlesinger im Treppenhaus ab. Mit kurzen, undeutlichen Sätzen macht sie mich darauf aufmerksam, daß in der Regenrinne meines Balkons ein Taubenpaar sitzt und nicht mehr wegfliegt.

Ach! sage ich, das habe ich nicht bemerkt.

Ja, sagt Frau Schlesinger, Sie müssen sofort etwas unternehmen!

Ich? Warum denn? Ich meine, was denn?

Wenn Sie nichts tun, werden sich in Ihrer Regenrinne viele Tauben niederlassen.

Oh! mache ich, meinen Sie?

Die beiden haben in Ihrer Rinne ein Nest gebaut! Und sie brüten Eier aus! Haben Sie das nicht bemerkt?

Nein, sage ich.

Das kann ich nicht dulden.

Und jetzt? frage ich.

Haben Sie einen Schürhaken?

Nein, antworte ich.

Aber einen alten Besenstiel oder etwas Ähnliches haben Sie doch?

Ich glaube nicht, sage ich, ich muß mal schauen.

Wissen Sie was, ich leihe Ihnen meinen Schürhaken oder ich machs selber, sagt Frau Schlesinger.

Sie geht in ihre Wohnung und kommt mit einem schwarzen Eisenstab zurück. Darf ich, sagt Frau Schlesinger und geht an mir vorbei in meine Wohnung, sie tritt hinaus auf den Balkon und beugt sich über das Geländer.

Mit drei oder vier Griffen hebt Frau Schlesinger das aus vielen Ästchen und Blattresten bestehende Taubennest aus beziehungsweise stößt es mit dem Schürhaken aus der Regenrinne und läßt es in den Hof hinunterfallen. Die Entfernung des Nestes dauert fünfzehn Sekunden, dann sagt Frau Schlesinger So! und verläßt meine Wohnung. Wahrscheinlich müßte ich mich bedanken, aber ich bin so verblüfft, daß ich nur einen mißratenen Halbsatz hervorbringe. Ich setze mich auf einen Stuhl und schaue auf den Balkon hinaus. Wenig später höre ich, wie Frau Schlesinger im Hof die heruntergefallenen Nestteile zusammenfegt und im Mülleimer verschwinden läßt. Immer wieder frage ich mich, warum ich Frau Schlesinger nicht gehindert habe. Ich erleide so etwas Ähnliches wie eine Ermattung durch zuviel Wirklichkeit. Wenigstens an die Schwalben kommt Frau Schlesinger nicht heran. Wahrscheinlich wissen die Schwalben von meiner Verwirrung und teilen sie sogar. Fliegen sie nicht verblüffend nah an meinem Balkon vorbei und zwinkern mir zu? Eine halbe Stunde lang lasse ich mich von dem Geschwirre der Schwalben beruhigen, dann schenke ich mir ein Glas Rotwein ein und proste den vorüberfliegenden Vögeln zu. Prost! sage ich nicht, aber sonst ist alles so, als würden die Schwalben an meinem Tisch sitzen.

Gegen 18.00 Uhr verlasse ich die Wohnung und fahre mit der U-Bahn in Richtung Christuskirche. Alle zehn bis vierzehn Tage besucht Judith ein Kirchenkonzert. Ich gehe mit, obwohl ich in Verlegenheit bin und ein bißchen Angst vor dem Abend habe. Kantaten und Motetten von Bach stehen auf dem Programm. Die Eintrittspreise sind niedrig, die Qualität der Aufführung ist fast immer gut, sagt Judith. Sie genießt es, in der Kirche zwei Stunden lang

Menschen um sich zu haben, die gerade nicht reden und nicht einkaufen, die keine Pommes frites kauen, kein Eis lecken, kein Auto waschen und nicht telefonieren, keine Bierdose öffnen und nicht fernsehen, sondern still in einem hohen Raum sitzen und wie wirkliche Menschen aussehen. Judith küßt mich flüchtig und läßt es nicht zu, daß ich ihre Eintrittskarte bezahle. Ich kaufe ein Programmheft und lese im Halbdunkel der Kirche einen Satz aus einer Kantate: Ach Herr, lehre uns bedenken, daß wir sterben müssen, auf daß wir klug werden. Das Programm hat schon begonnen, und ich überlege immer noch, ob auch mir einmal mit dem Tod gedroht werden muß, damit ich schlau aus mir werde. Ich kann die Frage nicht beantworten und betrachte die Versunkenheit der Musiker, die Ornamente und die Kerzen, die Glasfenster und die Schnitzereien an der Orgel. Die Bachschen Kantaten ergreifen mich auf eine Weise, der ich kaum standhalte. Es entsteht Druck in der Brust, Hitze hinter den Augen, Zittern auf den Lippen und Schweiß im Haar. Ich atme kräftig durch, um den Wunsch des Weinenwollens, hervorgerufen durch die Musik, zurückzuweisen. Ich denke an meine erneut fortgeschrittene Liebesschwäche, die vielleicht sogar der heimliche Grund des Weinenwollens ist. Dieser Tage, als ich mit Sandra schlief, konnte ich zum ersten Mal meinen Samen nicht so lange zurückhalten, wie ich es von mir gewohnt bin (oder, vielleicht, war). Vorzeitig, gegen meinen Willen und gegen meine Erwartung, entwischte mir so gut wie spannungslos der Same und beendete sang- und klanglos einen Beischlaf. Sandra war diskret und fragte nicht. Es besteht zwischen uns der Grundsatz: Wenn ein Problem auftaucht, herrscht so lange Diskretion, bis der Problembetreiber als erster das Schweigen bricht. Wenn mir derartige Zwischenfälle künftig öfter zustoßen, werde ich mich damit abfinden müssen, daß mein Körper seine Lust allmählich selber auflöst. Das ist jedenfalls meine neueste Sorge. Der Körper wird dann nur noch raschen Samenabfluß wollen, mehr nicht. Beklagen sich nicht immer wieder Frauen darüber, daß die Männer zu schnell und lieblos mit ihnen fertig sind? Das ist der plötzlich zur Hauptsache gewordene Samenabgang! Den der Mann selbst nicht will, aber hinnehmen muß! Und über den er nicht redet, weil er ihn nicht erklären kann! Mir wird beinahe Himmelangst. Ein solcher Mann will ich nicht werden. Das Erlebnis mit Sandra hat mich so eingeschüchtert, daß ich erleichtert wäre, wenn ich jetzt schon wüßte, daß der Beischlaf heute ausfällt. Ich sitze neben der ruhig atmenden Judith und betrachte meine Hände. Immerhin, mein Ekzem ist zurückgegangen. Ich bin sofort einverstanden, als Judith nach dem Konzert noch ein Glas Wein trinken möchte (sonst gehen wir nach Konzerten gleich zu ihr nach Hause). Sogar der schwache Abendwind in den Straßen hat sich aufgeheizt. Eine lauwarme Backstubenluft schiebt sich an den Häusern entlang. Die Biergärten sind voll. Die aus offenen Autofenstern herausdröhnende Popmusik macht mir schlechte Laune, aber ich halte durch. Das Fernziel der Nacht heißt diesmal: kein Beischlaf bitte. In einem kitschigen Café finden wir noch einen Tisch. Im Zentrum des Raums steht ein dampfender Springbrunnen, links und rechts davon je ein aufrecht sitzender Porzellangepard. An den Wänden ringsum goldumrahmte Spiegel, Gipsputten, falsche Barockleuchter. Auf Glasregalen Kupferkessel, Kaffeemühlen, Kunstblumen. Wir bestellen Wein und Mineralwasser, Judith liest mir aus dem Programmheft einen Satz von Bach vor: Ich habe fleißig seyn müssen; wer eben so fleißig ist, der wird es eben soweit bringen können.

Glaubst du, daß Bach nur fleißig war? fragt sie.

Mit Sicherheit, antworte ich, aber Bach war vermutlich auch ein bißchen verrückt, ich meine hysterisch beziehungsweise verstört.

Wieso?

Er hat, antworte ich, um seine riesige Familie ernähren zu können, Woche für Woche Kantaten und Motetten schreiben müssen, dabei wurde er immens fleißig, aber auch verrückt.

Judith lacht. Das meinst du nicht ernst, sagt sie.

Doch, sage ich, bei Charles Dickens war es übrigens so ähnlich. Der hatte zehn Kinder, eine Frau und eine Geliebte und wurde ebenfalls arbeitsverrückt.

Und Bachs persönliche Würde? fragt Judith, wo blieb die?

Die mußte er vergessen, sage ich.

Nein, seine Würde steckte in seiner Arbeit, das heißt in seinem Genie.

Aber du hast mir doch gerade vorgelesen, daß er von seinem Genie nichts gewußt hat, sage ich; er hielt sich doch nur für fleißig.

Ich merke, es paßt Judith nicht, daß wir nicht einer Meinung und, vielleicht noch gravierender, nicht einer Stimmung sind. Ich verstärke die gefühlte Differenz, indem ich jetzt auch noch über Bachs Musik rede.

Jedesmal, wenn ich Bach höre, sage ich, bin ich den Tränen nahe.

Du bist eben ein empfindsamer Mensch, sagt Judith.

Das schon, aber etwas anderes ist wichtiger: Ein Teil von Bachs Hysterie überträgt sich auf die Zuhörer.

Ach! stößt Judith hervor.

Meine Beinahe-Tränen erinnern mich an die Tränen von zwölfjährigen Mädchen, die sich im Kino Liebesfilme anschauen.

Du willst sagen, Bach ist Kitsch? fragt Judith.

Er ist die Tränenspeise für Erwachsene, sage ich.

Aber du kannst doch irgendwelche blöden Liebesfilme nicht mit Bachs Musik vergleichen!

Ich merke, Judith ist leicht verstimmt. Wir trinken unsere Gläser leer, zahlen und gehen. Ich bringe sie nach Hause. Wie von selbst ist klar, daß ich heute nicht mit ihr hochgehe. Judith umarmt mich vor der Tür und seufzt mir ins Ohr, ganz aus der Nähe. Es klingt wie: Über Musik solltest du nicht reden.

Wie üblich lehne ich mich am Freitag nachmittag gegen 17.00 Uhr gegen die Theke eines heruntergekommenen Kiosks und trinke einen lauwarmen Espresso. Sandra hat es gern, wenn ich den Eindruck erwecke, ich sei tief in Gedanken versunken. Sie möchte mich in abwesend versonnenen Stimmungen vorfinden, aus denen sie mich dann, wie sie es nennt, mit einem Schlag ins Leben zurückholt, nämlich mit ihrer quirligen, redseligen Aufgedrehtheit. Der Angestelltenausgang der Sanitärgerätefabrik, in der Sandra arbeitet, liegt von hier aus etwa fünfunddreißig Meter entfernt. Junge Mütter fahren ihre Babys spazieren. Einige der Frauen wickeln ihre Babys während der Ausfahrt im Kinderwagen. Kurz nach 17.00 Uhr verläßt Sandra das Büro der Sanitärfabrik. Ich tue so, als hätte ich sie nicht sofort gesehen (bemerkt), das gehört zu unserem Spiel. Sondern ich blicke ein wenig betröppelt, fast somnambul auf dem Boden herum, damit mich Sandra mit gehörigem Effekt aufschrecken kann. Das Problem meines momentweise aufgeteilten Daseins (Anwesenheit/Abwesenheit: changierend) könnte ich das Problem des introspektiven Selbstbewußtseins nennen, über das ich vielleicht gleich reden werde. Sandra verlangt von mir, daß ich von Zeit zu Zeit wie ein Intellektueller spreche. Sie findet es toll, mit einem Mann zusammenzusein, der sich (zum Beispiel) minutenlang darüber verbreiten kann, daß Flaubert gegenüber Proust merkwürdig unterbewertet ist. Sandra denkt, daß ich sowohl Flaubert als auch Proust kenne und sogar weite Teile der Sekundärliteratur überblicke. In Wahrheit gehöre ich zu denjenigen, die nach zweihundert Seiten Flaubert/Proust die Lektüre aufgegeben haben. Ich gestehe das sogar ein, aber Sandra will es nicht wissen. Es ist seltsam, daß man sich erst mühsam ein paar nicht ganz saubere Ticks abgewöhnt hat (intellektuelle Angeberei), die man sich dann einer Frau zuliebe ebenso mühsam wieder angewöhnt. Natürlich habe ich eine Menge Themen auf Lager. Ich kann mich (zum Beispiel) auch darüber auslassen, warum Martin Heidegger die Nazis nicht sofort durchschaut hat (was hätten wir dann für einen makellosen Apokalyptiker!) oder warum Max Weber inmitten seines schöpferischen Lebens von einer furchtbaren Depression überrascht wurde, die ihn dann für Jahre aus der Bahn warf. Sandra hat nicht die geringste Möglichkeit, den Wahrheitsgehalt meines schnell sprudelnden Bildungswissens zu überprüfen. Sie möchte nur sicher sein (und es selber hören können), daß der Mann ihrer Wahl so phantastisch reden kann. Ich baue in meine Vorträge manchmal ein bißchen Blödsinn ein, den mir Sandra ahnungslos abnimmt, weswegen ich sie im stillen ein bißchen verspotte. Wer zuviel verlangt, muß betrogen werden, sage ich mir dann. Mit Judith ist es mir möglich, jedenfalls weitgehend, nur über das zu reden, worüber ich Bescheid weiß, es sei denn, ich spreche über Bach, um einen Beischlaf zu verhindern. Deswegen erhält Judith in diesen Augenblicken einen Sonderpunkt für die Ermöglichung von Authentizität.

Sandra hakt sich munter und voller Lebensdrang bei mir unter. Ich frage sie, wie sie sich fühlt, sie sagt: Ein bißchen oft hin- und hergeschmissen, wegen Überschreckung und so, aber doch oberflächlich gut gelaunt, so locker hingepinselt für den Abend. Sandra kichert, ihre Ausdrucksweise gefällt mir. Wir gehen in Richtung Stadt, durchqueren einen Park, in dem Sandra gesteht, daß sie, wenn sie allein auf einer der Bänke sitzt, nicht wagt, sich die Schuhe auszuziehen, weil sie fürchtet, dann wie eine Obdachlose auszusehen. Sie will ein paar Flamingos sehen, die in einem niedrigen Teich herumstehen und sie daran erinnern, wie sie sich als Zehnjährige hatte bewegen wollen: weich, staksend, langsam, gemessen, hoheitsvoll, wie ein verrücktes Kind. Später will sie in einem vielbesuchten Terrassen-Café einen Eiskaffee haben, und hinterher muß sie in ein Farbengeschäft.

In ein Farbengeschäft? frage ich.

Oh, macht Sandra, jetzt hab' ich mich verraten.

Ich schweige.

Ich male nämlich neuerdings, sagt Sandra.

Du malst?

Sandra antwortet nicht. Wir gehen nebeneinanderher und schauen von uns weg.

Was malst du denn?

Ich male mich selber als junges Mädchen, ich male meine Mutter, meinen Bruder, meinen Sohn, unser Haus, in dem wir damals gewohnt haben. Du mußt dir meine

Bilder unbedingt anschauen, ich habe sie dir bisher verheimlicht. Kommst du nachher mit?

Jaja, mache ich undeutlich.

Das Terrassen-Café ist zum Glück halb leer. Sogar von hier aus sind, in der Ferne, ein paar Flamingos zu sehen. Schlagermusik tönt aus dem Buffetraum. Wir bestellen einen Eiskaffee und einen Campari mit Eis. Sandra erzählt Anekdoten aus ihrem Büro, dann sagt sie: Wie war übrigens dein Seminar in der Schweiz? Du hast keinen Ton dazu gesagt.

Ach, antworte ich, es war das Übliche.

Das Übliche, wiederholt Sandra.

Jaja, mache ich.

Du hast die Apokalypse ziemlich über, stimmts?

Warum sollte ich jetzt lügen, antworte ich.

Willst du bis an dein Lebensende in irgendwelche Hotels fahren und ... äh ... Vorträge halten?

Ich fürchte, sage ich, ich habe keine Wahl.

Eine junge Bedienung bringt den Eiskaffee und den Campari. Danach nimmt sie einen Besen und fegt heruntergefallene Blütenblätter zusammen.

Dann sagt Sandra: Ich würde dir gern ein bißchen helfen ... beziehungsweise ... wie soll ich ... zu deiner Beruhigung beitragen.

Helfen? Du mir?

Nicht sofort, aber vielleicht später.

Ich schweige, weil ich nicht weiß, worauf Sandra hinauswill. Einer der Flamingos kommt nahe an die Cafétische heran. Sandra beachtet ihn nicht.

Meine Hilfe ist oder wäre im Prinzip einfach, sagt Sandra, erfordert aber von dir, daß du über deinen Schatten springst.

Ich betrachte den Flamingo aus der Nähe. Sein rosa Gefieder sieht aus wie nicht abgewaschene Seife.

Du hast mir einmal gesagt, sagt Sandra, daß du keine Rentenbeiträge einzahlst und daß du deswegen arbeiten mußt, bis du eines Tages tot umfällst. Es gibt aber gäbe einen Ausweg: Wenn du mich heiratest und ich vor dir sterbe, erbst du meine erstklassige Rente. Dann hättest du wenigstens im Alter keine Probleme.

Ich bin überrascht und wage im Augenblick nicht, Sandra anzuschauen. Ich habe noch nie einen Flamingo aus dieser Nähe gesehen. Sein Schnabel ist viel zu groß für seinen kleinen Kopf. Sandra rechnet offenbar nicht damit, daß ich etwas sage. Sie fährt fort: Denke nicht, daß ich durchs Hintertürchen geheiratet werden will oder so etwas. Ich will dir nur für später helfen. Ich rechne natürlich damit, daß du auch wieder bessere Laune haben wirst, wenn erst klar ist, daß du dich nicht bis zum letzten Tag abrackern mußt. Ich verlange natürlich nicht, daß wir zusammenziehen. Du kannst in deiner Wohnung bleiben und ich in meiner. Das ist alles, was ich dir sagen wollte.

Ich trinke mein Glas leer und schaue dem Flamingo nach, der langsam zum Teich zurückstakst.

Du mußt dich nicht sofort entscheiden, sagt Sandra und kichert.

Ich will auch kichern, aber es klappt nicht.

Ich bin irgendwie verblüfft, sage ich, beziehungsweise überwältigt.

Das wäre ich an deiner Stelle auch, sagt Sandra und kichert weiter.

Es beschämt mich, daß Sandra meine Lage so klar erkennt. Beziehungsweise es bedrückt mich, daß ich Sandra diesen Durchblick nicht zugetraut habe. Wer auf versteckte Weise bedürftig ist, will nicht plötzlich durchschaut werden. Ich gebe zu, ich bin nicht gerade erstklassig ausstaffiert. Seit ungefähr fünfundzwanzig Jahren arbeite ich auf Honorarbasis, das heißt, ich bin zwar krankenversichert, habe aber so gut wie keine Rentenansprüche erworben. Ich muß tatsächlich arbeiten, bis ich nicht mehr kann. Und dann muß ich auf einen gnädigen und raschen Tod hoffen, damit die Arzt- und Krankenhausrechnungen nicht gar zu ruinös ausfallen. Es überflutet mich eine Welle der Rührung und der Reue. Kann ich Sandras Angebot so einfach annehmen? Es peinigt mich, daß ich ihr mit einem Heiratsangebot nicht zuvorgekommen bin. Mir fällt nichts ein. Die Verdutztheit ist im Prinzip nichts Neues für mich. Ich weiß oft nicht, was ich sagen soll. Neu ist diesmal: Ich werde *für längere Zeit* nicht wissen, was ich sagen soll. Diese längere Zeit beginnt soeben. Ich kann nur sagen: Irgendein ferner Schmerz arbeitet sich auf mich zu, ich sehe ihn kommen. Einfach zurückweisen kann ich Sandras Vorschlag auch nicht, soviel ist klar. Sandra liebt mich, wie ich seit ein paar Minuten weiß, unter Einschluß einer sozial denkenden Fürsorge. Sie liebt mich bis hin zu dem Punkt, an dem sich ihr Gefühl in eine materielle Wohlgesonnenheit verwandelt. Das ist ein Vorgang von erheblichem Gewicht, der in meinem Leben zum ersten Mal eintritt.

Magst du noch meine Bilder anschauen? fragt Sandra.

Ja, natürlich, antworte ich zerstreut.

Wir zahlen und gehen in Richtung Sandras Wohnung. Unterwegs, in der Tullastraße, betritt Sandra ein Farbengeschäft. Ich warte draußen und ergehe mich in Edelreflexionen. Wirkliche Liebe bedeutet Anerkennung der ganzen Person, denke ich; die Anerkennung betrifft nicht nur Teilaspekte des anderen (sein Aussehen, sein Körper, sein Geld, seine Intelligenz), sondern wirkliche Liebe ergreift die Totalität der ganzen Person. Ich kann meinen Edelsinn nicht lange ertragen und fliehe in den Spott. Älterer, zunehmend einfallsloser Apokalyptiker wird im letzten Augenblick von verblendeter Sekretärin gerettet. Aber meine Witze machen mich nicht lustiger. In gewisser Weise wirft Sandras Vorschlag mein Denken aus der Bahn. Ich habe bisher immer geglaubt, daß die Frauen von Männern gerettet werden. In meinem Fall ist es umgekehrt. Ich kann, wenn ich will, von einer Frau gerettet oder zumindest aufgefangen werden. Vermutlich ist es dieser Umsturz des Denkens, der mich nicht losläßt.

Sandra schaut beglückt in ihren Einkaufsbeutel, als sie das Farbengeschäft verläßt. Offenbar ist sie eine zufriedene Freizeitkünstlerin. In der Wohnung räumt Sandra ein bißchen auf und verstaut die neuen Farben. Sie bittet mich, in der Küche zu warten, damit sie ihre Bilder im Wohnzimmer aufstellen kann. Mir schwant nichts Gutes. Das Getue wegen einiger selbstgemalter Bilder deutet auf die Überspielung eines tief unbewußten Mangels, denke ich und empfinde sofort die Lächerlichkeit dieses Gedankens angesichts von Sandras großmütigem Angebot. Sandra schenkt zwei Gläschen Prosecco ein, dann darf ich das Wohnzimmer betreten und Sandras erste Bilder betrachten. Ich verberge meinen Schreck, so gut es geht. Es handelt sich um ein Selbstporträt als junges Mädchen, ein Porträt von Sandras Mutter, ein Porträt von Sandras Sohn und ein Bild des Hauses, in dem Sandras Familie in der Zeit ihrer Kindheit gewohnt hat. Es ist Hobbykunst, sehr farbig, sehr unbekümmert, sehr ahnungslos. Bilder dieser Art werden in den Foyers von Sparkassen und in den Fluren von Gesundheitsämtern ausgestellt. Es ist Provinzkunst, Laienkunst, Volkshochschulkunst. Ich nicke und gebe ein paar Ausrufe von mir, die selbst ich nicht deuten kann. In Wahrheit schmerzt es mich, von Sandra so fatale Bilder sehen zu müssen. In den letzten Jahren waren Sandra und ich in vielen Museen gewesen. Stets hatte sie Vergnügen und Bewunderung vor dem Werk großer Maler empfunden. Besonders gefielen ihr die Bilder von Macke, Morandi, Hodler, Beckmann, Modigliani, Hopper. Sogar an Beuys und Emil Schumacher arbeitete sie sich heran. Ich war der Meinung, daß Sandra nicht unbedingt etwas von Kunst versteht, aber doch erkennen kann, was Kunst und was Dilettantismus ist. Und jetzt das! Sandra scheint die Fatalität ihrer Bilder nicht zu empfinden. Ich halte mich an meinem Glas und erwecke den Eindruck von jemand, der in erhebliche Reflexionen versunken ist, um einer geistigen Herausforderung standzuhalten. Es ist meine alte Intellektuellennummer, mit der ich so gut wie alles verdecken kann. Sandra ist aufgekratzt, sie findet es ganz außerordentlich, daß sie jetzt malt. Sie gibt Auskunft darüber, was sie sich beim Malen gedacht hat, und sie schimpft auf ihre Schwester, weil diese sie als Wichtigtuerin bezeichnet hat. Sandras Sätze gehen in eine Kindheitserzählung über, in der die Bilder keine Rolle mehr spielen. Sandra füllt mein Glas nach, sie stellt sich neben mich und faßt mich beim Reden liebevoll an. Ich frage mich, ob es mir hilft, wenn ich ihre Bilder als zarte Vorboten einer Alterserscheinung deute. Wer altert, wird unbemerkt aus der Kurve getragen. Bei Sandra hat es die Geschmacksnerven getroffen. Natürlich habe ich keine Ahnung, ob mir diese Idee helfen wird, Sandras Bilder öfter als einmal anzuschauen. Ein weiteres Glas trinke ich nicht mehr leer, ich sage noch dies und das, dann gehe ich nach Hause.

7

Am Frühabend merke ich, daß ich um die Ernsthaftigkeit eines schwer begreiflichen Tages älter geworden bin. Ich sitze in meinem Arbeitszimmer und seufze. Wie soll ich die Freude über Sandras Heiratsantrag und die Enttäuschung über ihre schlechten Bilder miteinander vereinbaren? Vor vielen Wochen habe ich in einem der Bäume ein Eichhörnchen herumspringen sehen. Immer wieder schaue ich aus dem Fenster hinaus, aber das Eichhörnchen scheint auf Nimmerwiedersehen verschwunden zu sein. Im Haus gegenüber stellt sich eine Frau an ein offenes Fenster und putzt ihre Schuhe. Eine Weile schaue ich zu, dann rufe ich mich zur Ordnung: Mein Gott, was gibt es denn dabei zu sehen? Ich will nichts Bestimmtes sehen, ich will mich durch Sehen beruhigen, aber es klappt nicht. Ich höre zu, wie die nach Hause zurückkehrenden Mieter ihre Apparate anwerfen. Der junge Architekt, der mit mir auf der gleichen Etage wohnt, beruhigt sich beim Gepolter der Rolling Stones. Die Lehrerin über mir entspannt sich bei den süßlichen Harfenklängen von Vollenweider. Ich selbst schalte gegen 19.00 Uhr die Fernsehnachrichten ein. Die Informationen interessieren mich kaum, ich will nur das öffentliche Altern der Nachrichtensprecherinnen beobachten. Wenn eine Sprecherin ein paar Wochen keinen Dienst hatte und dann plötzlich wieder auf dem Schirm auftaucht, ist sie einerseits eine Spur bitterer, sich selbst aber auch ähnlicher geworden, eine geheimnisvolle Verschränkung, die mich tröstet. Wahrscheinlich wird man über lange Zeit nur langsam alt, dann aber sehr schnell. Nach den Nachrichten ruft Judith an und sagt mir, daß sie in Kürze vierzehn Tage Urlaub auf Mallorca machen wird. Ich habe ein günstiges Angebot erwischt und schnell zugegriffen, sagt sie und lacht. Ich bin daran gewöhnt, daß Judith im Sommer vierzehn Tage allein verreist. Es kommt ihr darauf an, zwei Wochen lang vollständig umsorgt zu werden. Sie will nur schlafen, lesen, essen, liegen, spazierengehen und nicht reden, nicht einkaufen, nicht nachdenken und keine Termine machen und keine Nachhilfeschüler sehen. Sonderbar ist, daß sich Judith wenig später ebenfalls um meine Zufriedenheit sorgt. Sie schlägt vor, ich soll im Stadtzentrum einen Schulungsraum mieten und permanent eigene Apokalypse-Veranstaltungen anbieten. Sie glaubt, es gibt in der Stadt einen ausreichend großen Markt für ein apokalyptisches Dauerangebot. Dann mußt du nicht mehr diese anstrengenden Seminare in Hotels machen, sagt sie.

Ich verspreche, mir den Vorschlag zu überlegen. Statt dessen denke ich fast permanent darüber nach, ob man mir ansieht, daß mir ein Heiratsantrag gemacht worden ist. Ich gebe zu, daß der Antrag meine Männlichkeit stärkt und meine Eitelkeit besänftigt. Vermutlich sieht man mir den Antrag nicht an, im Gegenteil. Mir ist schon öfter aufgefallen, daß fremde Männer ungläubige und unwirsche Züge annehmen, wenn sie mich an der Seite von Sandra oder Judith sehen. Ich kann deutlich erkennen, wie sie sich überlegen: Wie kommt dieser nervöse, im Gesicht grünlich-gelbe, im Nacken zu starke und im ganzen zu unelegante Mensch zu so einer schönen Frau? Ich würde diesen überheblichen Männern jetzt gerne sagen: Übrigens, ich bin ein Mann *mit* Heiratsantrag, und wenn sie dann blöd schauen, würde ich hinzufügen: Nein nein, nicht ich habe einer Frau einen Antrag gemacht, es ist umgekehrt, eine Frau hat mir die Ehre erwiesen. Oder wie soll man es sagen? Ich bin ein Mann, der geheiratet werden soll?! Nein, das wäre zu plump beziehungsweise mißverständlich beziehungsweise lächerlich. Im Augenblick schlendere ich durch die Elektroabteilung eines Kaufhauses. Neuerdings scheppert mein Fön und heult dabei ein wenig kränklich auf. Es macht mir nicht das geringste Vergnügen, an Hunderten von Geräten entlangzuschauen und mich nicht entscheiden zu können. Gibt es Föns überhaupt noch? Mein Haushalt ist weitgehend gerätefrei. Ich besitze nur ein Fax und einen kleinen Computer; es gibt keine High-Tech-Anlage, keine elektrische Zahnbürste, keine Waschmaschine, keine Kaffeemaschine, keinen Anrufbeantworter, nicht einmal einen elektrischen Rasierapparat. Im Augenblick starre ich auf kleine Handstaubsauger und denke an das mißratene Selbstporträt von Sandra. Ihr großmütiges Geschenk, die Rente, ist vielleicht zu mächtig für mich. Ich spüre das Gewicht von Sandras Besorgtheit auf mir. Die Bedeutung des Gewichts beeindruckt mich, aber sie macht mich unfrei. Ich kann nicht mehr unangefochten darüber nachdenken, welcher Frau beziehungsweise welchem Leben ich mich ausliefern soll. Es ist das Gefühl der gebrochenen Souveränität, das ich nicht hinnehmen kann.

Ich müßte jetzt die Kraft haben, mich von den Handstaubsaugern entschieden abzuwenden. Statt dessen erfaßt mich eine milde Lähmung, die mich seltsam matt und überdrüssig macht. Genau in diesen Augenblicken tritt hinter dem Regal mit den Kassettenrecordern Bettina hervor. Sie sieht mich, ihr Gesicht hellt sich auf, ihr Mund öffnet sich. Mit Bettina war ich in meiner frühen Jugend einige Jahre verheiratet. Mein Gesicht öffnet sich wahrscheinlich nicht. Obwohl unsere Geschichte schon sehr lange zurückliegt, hadere ich immer noch mit ihr. Bettinas Anblick belebt meine Hauptangst: daß ich aus einem momentanen Überschwang heraus eine falsche Lebensentscheidung treffe. Genau eine solche überstürzte Handlung wurde damals mein Unglück. Wir hatten uns in den siebziger Jahren, während der allgemeinen erotischen Anarchie, eilig kennengelernt und leider zu schnell geheiratet. Bettina saß in diesen Jahren häufig mit ihren Freundinnen in Cafés herum und rief mich von dort aus an. Ich solle kommen, sagte sie. In meiner damals noch vorhandenen Totalgutmütigkeit machte ich mich auf den Weg und saß zwanzig Minuten später an Bettinas Tisch. Und ließ mich von ihren Freundinnen anschauen und abfragen wie ein Esel. Sie erörterten in meiner Anwesenheit, ob Bettina zu gut für mich sei, ob ich mich in Kürze wieder von ihr zurückziehen werde, ob Bettina zu hübsch für mich sei oder ob ich nicht doch zu unerfahren in der Liebe sei und immer so weiter. Die Freundinnen lachten sogar ein bißchen über mich, weil ich mich gegen die Begutachterei nicht verwahrte. Aber jetzt steht Bettina lachend und lebensfroh vor mir und gibt mir die Hand.

Dir scheint es gutzugehen, sage ich ein bißchen lauernd.

Absolut, sagt Bettina.

Hast du einen neuen Job? frage ich.

Leider nicht, sagt Bettina, ich arbeite immer noch im Institut für Schockforschung, zur Zeit interviewe ich Überlebende von Tunnelbränden, Hochhauseinstürzen und Fährunglücken.

Ach Gott, mache ich, spaßig ist das nicht.

Nein.

Und warum bist du dann so munter?

Ich sags dir, sagt Bettina und lacht, ich heirate wieder.

Ohh!

Das hättest du mir nicht zugetraut, was?

Bist du immer noch liiert mit dem Druckluft-Experten?

Genau!

Glückwunsch! Seit wann kennt ihr euch?

Im Herbst sind es drei Jahre.

Das reicht als Grundlage, sage ich.

Bettina lacht.

Trotzdem muß ich was tun, um mein Konto auszugleichen, sagt sie. Was ich bei der Schockforschung verdiene, reicht gerade für die Miete und das Telefon.

Saniert dich der Druckluft-Mann nicht?

Schon, sagt Bettina, aber er sagt, er könne nicht mit einer Frau zusammenleben, die vollkommen von ihm abhängig ist.

Haha, mache ich, das kommt mir bekannt vor.

Jajaja, sagt Bettina.

Und? Hast du eine Idee?

Ich werde eine Zeitungs-Tauschzentrale gründen, sagt Bettina.

Was?

Du hast doch bestimmt schon die Leute beobachtet, die in Papiercontainern nach einer Zeitung suchen?

Ja.

Ein würdeloser Anblick! Ich werde ein kleines Büro eröffnen, wo Leute ihre ausgelesenen Zeitungen und Zeitschriften abgeben können. Die leihe ich dann gegen eine Gebühr an Rentner und Sozialhilfeempfänger aus.

Aha! mache ich mit geheuchelter Bewunderung.

Ich glaube, meine Idee wird einschlagen wie eine Granate, sagt Bettina.

Das kann gut sein, lüge ich.

Die Leute werden sich fragen: Warum gibt es ein solches Büro erst seit heute?

An dieser gut gewünschten, aber praktisch leeren Idee (kaum Umsatz, kein Gewinn) werde ich noch auf ihrem Sterbebett Bettinas hoffnungsloses Denken erkennen. Vor etwa zweiundzwanzig Jahren wollte sie Tonbänder mit modernen Romanen besprechen und sie (gegen Gebühr!) an Blinde, Arme und Alte ausleihen. Schon damals erkannte sie nicht, daß außer Gutmütigkeit nichts an ihrer Idee dran war. Immer scheitert es am banalen Geld! war damals ihr Lieblingsausruf. Seinerzeit habe ich versucht, Bettina darüber zu belehren, daß Geld nicht banal ist, ganz im Gegenteil. Natürlich ohne Erfolg. Bettina kann noch nicht einmal erkennen, daß ihre neueste Idee ihren alten Projekten stark ähnelt. Ich bin in Versuchung, Bettina zu fragen, wo sie das Geld für die Einrichtung ihres Büros hernehmen wird, aber dann fällt mir ein, daß mit derartigen Fragen vor mehr als dreißig Jahren unsere Ehekräche begonnen haben.

Und du? Ziehst du immer noch mit der alten Apokalypse übers Land?! ruft Bettina aus.

Vermutlich denkt Bettina, ich werde mich gleich gegen den Hohn in ihrer Frage verwahren. Aber ich sage nur leise: Wahrscheinlich wird sich daran nichts ändern.

Das hört sich nicht sehr flott an, sagt Bettina.

Die Apokalypse ist nicht flott, sage ich.

Bettina ist die dritte Frau, die sich innerhalb weniger Tage um meine Zukunft sorgt. Offenbar erwecke ich zur Zeit den Eindruck der Bedürftigkeit. Eine kleine Unruhe flackert durch mein Bewußtsein. Im Augenblick weiß ich nicht, was ich sagen soll. Dicht neben uns geht ein junges Paar mit Kind vorbei. Gerade sagt die Mutter zum Kind: Wenn der Papa nein sagt, sage ich auch nein. Die Antwort trifft mich, als wäre *ich* das Kind. Jetzt weiß ich noch weniger, was ich zu Bettina sagen soll. Ich betrachte das verstummende Kind. Es hat keine Chance, gegen die verneinenden Eltern irgend etwas vorzubringen.

Bettina ruft aus: Es ist wie früher! Ich fühle genau den Augenblick, an dem du dich nicht mehr für mich interessierst!

Ich überlege, ob ich Bettina auf das verstummte Kind hinweisen soll, aber ich sage nur: Es tut mir leid!

Langweilen kann ich mich auch alleine, sagt Bettina, tschüß! Bis zum nächsten Mal!

Ich habe Lust, Bettina nachzurufen: Das kannst du gerade nicht, liebe Bettina, sich langweilen ist eine große Kunst!

Mit einer Geste starken weiblichen Triumphierens läßt Bettina mich stehen und verschwindet im Gewimmel der Passanten.

Drei Tage später bringe ich Judith zum Flughafen. Ich erschrecke, als ich vor den Abfertigungsschaltern die langen Schlangen mit sommerlich gekleideten Urlaubern sehe. Wieder frage ich mich, ob die Leute sich anders präsentieren würden, wenn sie wüßten, daß sie alle zu Karikaturen geworden sind. Oder ihre Lust besteht gerade darin, eine öffentlich wiedererkennbare Massenkarikatur geworden zu sein. Judith reiht sich tapfer in eine der Warteschlangen ein, ich werde sie bis zur Sperre begleiten. Ich weiß nicht genau, ob ich Mitleid mit den anderen oder Mitleid mit mir selbst habe. Es ist nicht möglich, Mitleid mit den anderen vom Selbstmitleid klar zu trennen. Die beiden Mitleide (kann man das sagen?) sind unauflöslich ineinander verschlungen. Sicher ist nur: Man kann kein Mitleid mit den anderen haben, ohne sich gleichzeitig selbst zu bemitleiden. Warum aber wird das Mitleid so stark diskriminiert? Es ist nichts anderes als eine soziale Einfühlung, ohne die wir nicht leben können. In diesen Augenblicken steigt eine Druckwelle in mir hoch und zieht durch meinen Oberkörper. Momentweise glaube ich, mein Brustkorb wird hart und eng. Fängt so ein Herzinfarkt an? Die Wände hier sind so glatt, daß ich mich nicht einmal irgendwo festhalten könnte. Die Druckwelle verschwindet, läßt aber einen halbminütigen Preßschmerz zurück, über den ich mit niemandem werde reden können. Altern kostet heimlich. Kurz vor den Sicherheitskontrollen wirft Judith die Arme um mich und küßt mich. Beim Küssen empfinde ich eindeutig Selbstmitleid. Ich wage mir kaum einzugestehen, daß der Reiz des Küssens nachläßt. Still und leise werde ich von meinen Erlebnissen verlassen. Judith merkt offenbar nicht (oder es ist ihr egal), daß mein Eifer beim Küssen nicht ganz echt ist. Trotzdem bin ich benommen und gerührt. Rührt die Rührung vom ältlichen Küssen her oder von der Freude darüber, daß ich doch keinen Herzinfarkt hatte oder habe? Judith verschwindet hinter der Sperre und wird von einer Sicherheitsbeamtin abgetastet. Wir winken uns, als wären wir ganz jung. Dann ist Judith für vierzehn Tage verschwunden.

Während der Rückfahrt in die Stadt, in der S-Bahn, stelle ich mir die intensiven Proseminare vor, die ich über die sonderbare Verschwisterung des Mitleids mit dem Selbstmitleid angeboten hätte, wenn ich Philosophieprofessor oder Anthropologe geworden wäre. Aber leider bin ich nur ein Apokalyptiker, der seine Beobachtungen in engen Flughafenfluren macht, unbemerkt und unbezahlt. In der Nacht träume ich von meinem toten Vater. Das Telefon klingelt, ich nehme ab, am anderen Ende erkenne ich seine Stimme, an die ich mich im realen Leben nicht mehr erinnere. Röchelnd sagt mein Vater: Hilf mir, ich bin ... hinten heruntergefallen ... komm schnell, komm. Wo bist du denn? unterbreche ich. Frag nicht, sagt er, du mußt kommen ... ich kann nicht ... nicht ... sofort. Aber wo bist du denn? frage ich wieder dazwischen. Du mußt kommen ... sagt er ... komm, los. Und wo finde ich dich? frage ich ... sofort ... ich komm nicht hoch ... allein ... sofort. Schon ist der Traum zu Ende, ich wache auf, schweißnaß, bestürzt, ratlos. Du mußt unbedingt dein Frauenproblem lösen, denke ich ... unbedingt ... sofort, sonst wirst du wie dein toter Vater bald sinnlos in der Nacht herumtelefonieren. Ich gehe in die Toilette und erinnere mich dort an meinen toten Vater. Abends saß er oft allein am Küchentisch und fing Fliegen. Meistens ließ er die Fliegen gleich wieder frei. Aber manchmal hielt er eine gefangene Fliege so lange im Dunkel seiner geschlossenen Hand, bis das Tier sichtbar geschwächt auf den Tisch fiel, wenn sich seine Hand wieder öffnete. Am Morgen beschließe ich, auf den Friedhof zu gehen und nach dem Grab meiner Eltern zu schauen. Es ist viele Jahre her, daß ich das Grab zuletzt gesehen habe. Obwohl mein Vater seit mehr als zwanzig Jahren tot ist, schäme ich mich noch immer für ihn. Schon beim Frühstück empört mich die so lange nachwirkende Ausstrahlung eines toten Vaters. Die Scham wird so stark, daß ich überlege, den Besuch auf dem Friedhof wieder zu streichen. Dabei habe ich mir immer gewünscht, daß es meinem Vater einmal bessergehen sollte als mir. Es ist nichts draus geworden, es geht mir eindeutig viel besser als ihm. Ich rechne damit, ein verlassenes, vielleicht heruntergekommenes Grab vorzufinden. Doch dann bin ich erstaunt. Das Grab ist nicht nur nicht vernachlässigt, sondern im Gegenteil gepflegt und mit frischen Blumen geschmückt. Blank und geputzt ragt der Grabstein in das Sonnenlicht. Es muß jemand geben, der das Grab heimlich pflegt. Ich habe keine Ahnung, wer das sein könnte. Wenn ich mich nicht irre, will ich es auch nicht wissen, obwohl mich die Tätigkeit des anonymen Fremden erleichtert. Ich will mich gerade wieder abwenden, da sehe ich zwischen den Grabsteinen das Gesicht Morgenthalers. Er ist gekämmt und rasiert und trägt ein Sakko und ein weißes Hemd mit Krawatte. Ich habe vergessen, ihn wegen der toten Möbel seiner Mutter anzurufen. Ich will mich hinter einem besonders breiten Familiengrabstein verstecken, da hat er mich schon entdeckt und kommt freudig aufgeräumt auf mich zu.

Ehh, wie gehts, sagt er, soll ich dir das Grab meiner Mutter zeigen?

Morgenthaler deutet auf ein frisch aufgeworfenes Rechteck mit Blumen und einem Holzkreuz. Offenbar hat er vergessen, daß ich ihm einen Anruf versprochen habe. Ich folge ihm ein paar Schritte, bis er vor dem Grab seiner Mutter stehenbleibt. Da liegt sie, sagt er, Elfriede Morgenthaler. Während er über das Sterben seiner Mutter redet, klingelt ein Handy in seiner Jackentasche. Er holt das

Gerät heraus und spricht sofort. Mit der anderen Hand holt er eine Zigarette aus seiner Innentasche und zündet sie an. Morgenthalers Getue stößt mich ab, ich entferne mich von ihm, aber er hält mich zurück. Es gefällt mir, daß er schon zum zweiten Mal das Wort piepegalpiepe in sein Handy hineinspricht. Die meisten Menschen sagen nur: Das ist mir egal. Einige wenige sagen: Das ist mir piepegal. Nur Morgenthaler sagt: Das ist mir piepegalpiepe.

Warte, sagt er, es gibt etwas Neues!

Ich bleibe stehen.

Ich bin Empörten-Beauftragter der Delling-Werke geworden, stößt er hervor.

Du? frage ich.

Ja, ich, sagt er.

Allerhand, sage ich, gratuliere.

Von achtzig Bewerbern haben sie mich ausgewählt!

Phhuu! mache ich bewundernd.

Ich hab mal Sozialarbeit studiert, sagt er, das hat vermutlich den Ausschlag gegeben.

Ahh so, antworte ich.

Ich würde gern fragen, ob er die Malerei endgültig zur Seite gelegt hat, aber ich will ihn nicht beschämen. Er muß sich künftig mit den unzufriedenen Mitarbeitern der Delling-Werke so lange beschäftigen, bis sie einsehen, daß ihre Unzufriedenheit unangebracht ist. Wir gehen in Richtung Friedhofsausgang.

Meinem Vorgänger ist es gelungen, einen empörten Pförtner für den Naturschutz im Osten zu interessieren! Der Mann setzt sich jetzt dafür ein, daß die Fischotter dort in sauberen Flüssen überleben können!

Toll, sage ich.

Man muß empörten Menschen neue, sinnvolle Aufgaben geben, sagt Morgenthaler.

Genau.

In vierzehn Tagen mach' ich übrigens ein großes Fest!

Weil du Empörten-Beauftragter geworden bist?

Das muß gefeiert werden, sagt Morgenthaler, du bist eingeladen!

Vielen Dank, sage ich; wer kommt zu deinem Fest?

Ein paar Leute aus der Firma, alte Empörte sozusagen, die schon seit Jahren nicht mehr über die Stränge geschlagen haben, aber auch alte Bekannte. Deine Exfrau habe ich auch eingeladen.

Will sie kommen?

Natürlich! Sie will übrigens wieder heiraten, weißt du es schon?

Das ist vermutlich das Beste für sie, sage ich.

Wir verlassen den Friedhof. Morgenthaler redet begeistert über seine neuen Aufgaben. In der Nähe der Kreuzung Ritterstraße/Ludwig-Erhard-Allee trennen wir uns. Es ist halb zwölf, ich habe Hunger. Ich weiß nicht, ob ich zu Morgenthalers Fest gehen soll. Menschenansammlungen, selbst kleine, bekommen mir nicht mehr. Vor dem Schaufenster eines Fischgeschäfts bleibe ich stehen. Die Fischverkäuferin links geht zur Fischverkäuferin rechts und beginnt, dieser den Nacken zu massieren. Die Frauen finden es spaßig, daß ihnen von draußen ein Mann zuschaut. Während der ganzen Zeit bleibt das Geschäft leer. Wenn ich mich nicht täusche (ich werde mich täuschen), habe ich drei Möglichkeiten: 1. Ich werde Sandra gegenüber einen zunehmend störrischen älteren Mann spielen, der seiner verquasten Individualität zuliebe Heirat und Rente ausschlägt. 2. Ich bin feige und werde Sandra heiraten, weil ich mir die Rente nicht entgehen lassen kann. Judith kann ich die Heirat eingestehen, weil es Judith egal ist, ob ich verheiratet bin oder nicht. 3. Ich werde Judith heiraten, Sandra die Heirat aber verschweigen und die alten (gegenwärtigen) Verhältnisse fortsetzen. Ich würde gerne jemanden um Rat fragen, aber es gibt in meinem Leben niemanden, der für mein Problem kompetent genug wäre. Ich habe mich bereits getäuscht. Wenn Sandra (oder Judith) eines Tages entdeckt, daß es die je andere Frau gibt, werde ich als gewöhnlicher triebhafter Mann dastehen. Diese Enthüllung werde ich vielleicht gerade noch hinnehmen können. Wenn aber dann auch noch herauskommt, daß ich die eine (oder andere) heimlich geheiratet habe, werde ich ein krummer Hund sein, ein niedriger Frauenbetrüger, den man von morgens bis abends beschimpfen kann. Ein solcher Mann will ich keineswegs werden. Das heißt, ich darf keine von beiden heiraten. Zu meinen säuerlichen Überlegungen paßt jetzt recht gut ein Fischbrötchen. Aber die beiden Fischverkäuferinnen machen sich inzwischen über mich lustig. Ich wende mich ab und gehe nach Hause. Aus vielen Bürohäusern entströmt ekelhafter Tiefgaragengeruch. Eine verwirrte Frau, die ich in dieser Gegend schon öfter gesehen habe, hüpft die Straßenbahnschienen entlang. Sie trägt immer dieselbe sackartige Hose und eine Art Trainingsjacke, vermutlich der Tagesdreß einer Anstalt. Ich nehme an, die Frau benutzt die Straßenbahnschienen als Wegweiser zurück ins Heim. Auch dann, wenn ich Zeit habe, fühle ich mich neuerdings eilig. Die Eile ist ganz überflüssig und enthüllt in ihrer Falschheit, daß sie nicht meinem Tag, sondern meinem ganzen Leben gilt. Ich komme an einem eleganten Süßwarengeschäft vorbei. Die hohen Preise erschrecken mich.

Ein kleines Cellophanbeutelchen mit Trüffeln kostet ein halbes Vermögen. Ich habe in letzter Zeit sehr gut verdient, ich könnte mir mehrere Beutel mit Trüffeln kaufen. Aber ich empfinde kaum Eßlust und noch weniger Kauflust. Im Gegenteil, mir fällt meine letzte Konsum-Depression ein, die sich immer noch nicht ganz aufgelöst hat. Es ist schon eine Weile her, daß plötzlich die Schallplattenspieler und die Schallplatten verschwanden und durch CD-Player und CDs ersetzt wurden. Es war, als würde mir zur Unzeit etwas Liebgewordenes weggenommen werden. Noch dazu fühlte ich in der Auswechslung der Waren die Aufforderung, mit den weggeschafften Schallplatten am besten gleich selbst zu verschwinden. Ich verschwand damals nicht, ich widersetzte mich und wurde dabei vermutlich ein bißchen seltsam. Kaum habe ich die Wohnung betreten (ohne Fischbrötchen, ohne Trüffel), klingelt das Telefon. Am Apparat ist Sandra.

Ist etwas passiert? frage ich, weil es ungewöhnlich ist, daß Sandra so früh am Tag anruft.

Ja ... ach ... gewissermaßen, sagt Sandra. Meine Schwester hat mich angerufen, morgen früh wird sie geschieden.

Oh, mache ich.

Ihr Mann will das Sorgerecht für das Kind, und sie hat große Angst, daß er es auch kriegt. Sie heult schon den ganzen Tag.

Ach, sage ich.

Sie hat mich gefragt, ob ich nicht ein paar Tage zu ihr kommen kann.

Und das wirst du auch tun, sage ich.

Ja. Ich werde am Spätnachmittag fahren, damit ich morgen früh bei der Verhandlung dabeisein kann.

Klar, sage ich.

Ich habe mir eine Woche Urlaub genommen, sagt Sandra.

Soll ich dich zum Bahnhof bringen?

Das ist nicht nötig, aber es wäre schön, wenn du gleich vorbeikommen könntest, dann hätten wir noch eine gute Stunde für uns. Außerdem will ich dir die Schlüssel geben, wegen Blumengießen und so. Kannst du kommen?

Natürlich, sage ich.

Gleich?

In fünfzehn Minuten bin ich da.

Ich bleibe noch eine Weile still neben dem Telefon sitzen. Es ist richtig Sommer geworden. Jetzt ärgere ich mich, daß ich keine Trüffeln gekauft habe. Ich könnte sie Sandra für die Bahnfahrt mitbringen. In den Hinterhöfen ringsum lassen viele Leute die Fenster offen. Fast immer hört man laute Musik und lautes Palaver. Andere grillen auf ihren Balkonen, man muß die Fenster schließen, wenn man nicht in Bratwurstgeruch eingehüllt werden möchte. Im Sommer wird man viel stärker vergesellschaftet als im Winter. In meiner Wohnung ist es so still, daß ich sogar das sanfte Flackern des Zündflämmchens im Gasofen der Küche hören kann. Wie leise du lebst! sage ich zu mir selber und schließe das Fenster. Nach etwa einer Minute wird mir klar, daß ich ab morgen, wenn auch Sandra weg sein wird, eine Art Konflikturlaub haben werde. Ich ziehe meine Jacke über und verlasse die stille Wohnung.

Sandra empfängt mich im Unterrock. Auf dem kleinen Tisch im Wohnzimmer stehen zwei Gläser und eine Flasche Wein, ein paar Oliven und Käsewürfel. Im stillen bin ich froh, daß Sandra alle ihre Bilder weggeräumt hat. Sandra redet über die fürchterliche Ehe ihrer Schwester und ihre Angst, daß sie das Kind verliert. Wir trinken

Wein, ich höre zu und schaue zu dem geöffneten Koffer, der auf dem Sofa liegt. Sandra gibt mir die Zweitschlüssel für ihre Wohnung und sagt, daß ich jeden zweiten Tag die Blumen gießen muß, am besten abends. Ich frage mich, ob Sandra schon ein bißchen beleidigt ist, weil ich auf den Heiratsantrag noch nicht reagiert habe. Sandra ist frisch geduscht, ihr Körper riecht nach Spargel und Lauch. Sie gießt mir das Glas noch einmal voll und küßt mich. Soll ich mich heiraten lassen, frage ich mich während des Küssens. Warum bin ich eigentlich nicht ein bißchen dankbar? Ich habe keinen Krieg miterleben müssen, ich habe nie gehungert, ich habe nie Gewalt kennengelernt, ich habe einen von mir geschätzten Beruf, ich liebe zwei Frauen, von denen die eine jetzt in eindeutiger Weise um mich herumschwirrt, aber warum leide ich fast immer an inneren idiosynkratischen Hysterien, das heißt, warum brauche ich gar keine wirkliche Not, um mich fast immer in Not zu befinden? Mir fehlt eigentlich nur ... ja, was eigentlich? Sandra zieht sich mit einer einzigen Bewegung den Unterrock über den Kopf und wirft den Schlüpfer in Richtung Koffer. Sie wartet liebevoll, bis ich soweit bin. Ich werde bedächtig, umständlich, langsam, ich altere. Sandra spreizt die Beine und besteigt die beiden Weinkistchen im Türrahmen. Ich brauche ein bißchen lange, Sandra kommt von den Weinkistchen wieder herunter und lutscht mir das Geschlecht. Danach steigt sie erneut auf die Weinkisten und drückt ihren Hintern ein wenig in die Höhe, so daß ich leicht in sie eindringen kann. Ich denke an Judith. Sie würde den Eifer dieses Weibchens, das sich so zielgenau um das Gelingen eines Schnellbeischlafs vor Reisebeginn kümmert, weder verstehen noch billigen. Während des Vögelns empfindet Sandra so starke

Lust, daß sie zwischendurch ein bißchen weinen muß. Ich vermute, sie weint wegen einer zukünftigen Katastrophe; ihr Unbewußtes ist sicher, daß sie verlassen werden wird. Nach drei Minuten taumelt sie geschwächt von den Weinkistchen herunter und hängt sich schluchzend an mich. Mein Gott, wie mich das mitnimmt, sagt sie und legt sich nackt auf das Bett.

Was nimmt dich mit? frage ich.

Daß ich ein paar Tage von dir weg muß, sagt Sandra.

Ach so, mache ich.

Versprichst du mir, daß du zum Arzt gehst?

Warum?

Wegen deiner Krampfadern, sagt Sandra.

Ach, mache ich.

Nichts ach, sagt Sandra, ich möchte, daß du zum Arzt gehst, während ich bei meiner Schwester bin; versprichst du mir das?

Na schön, sage ich.

Ich bringe Sandra das Weinglas ans Bett und warte auf die intimen Augenblicke, wenn Sandra zu einem Taschentuch greift und sich den Samen zwischen den Beinen abfängt. Sie liegt auf dem Rücken, ihre Beine sind übereinandergeschlagen. Wie ein Kind bewegt sie ihre Zehen und schaut sich dabei zu. Besonders beeindrucken mich ihre rot gewordenen Liebesohren, die wunderbar über ihren weißen Schultern leuchten. Jetzt sind die Augenblicke da: Sandra faßt sich mit einem Taschentuch zwischen die Schenkel und schaut dann mit rätselhaft mürrischen Blicken auf meinen Samen. Seit Jahren möchte ich wissen, woher diese plötzliche Liebesmürrischkeit kommt, aber ich wage nicht zu fragen. Obwohl Sandra ein paar Jahre jünger ist als Judith, ist ihre Haut mürber und hefiger als die Haut von Judith. Auch ist Sandra in den letzten Jahren fülliger geworden, Judith dagegen noch magerer und sehniger. Sandras Brüste fallen auseinander wie die Augenpartien einer zu breiten Maske. Seit langer Zeit bin ich nicht befremdet von Sandras ausladender Körperlichkeit. Sie stützt sich auf, um an das seitlich stehende Weinglas heranzukommen. Durch die Drehung des Körpers legt sich ihr Bauch in ein paar übereinandergeschichtete Wülste. Wenn auf der vorderen Ausbuchtung einer der Wülste nicht eine Brustwarze erkennbar wäre, würde ich nicht wissen, daß es sich dabei um eine jetzt schräg liegende Frauenbrust handelt. Der Anblick stößt mich nicht ab. Erotische Anziehung ist es immer weniger, warum ich mich diesem Körper nähern möchte. Welche Gründe sind es dann? Ich gehe nur mit Unterhemd und Unterhose bekleidet an Sandra vorüber. Ich spüre, genauso mürrisch wie auf meinen Samen schaut sie jetzt von hinten auf meine Krampfadern. Auch Sandra ist offenbar nicht befremdet von meinem Anblick.

Wir ziehen uns an. Wir haben Zeit vertrödelt, Sandra telefoniert ein Taxi herbei. Ich frage, ob ich nur die Balkonblumen oder auch die Blumen in der Wohnung gießen soll. Alle Blumen, sagt Sandra. Im Treppenhaus gibt sie mir ein Zettelchen mit der Adresse des Arztes, zu dem ich gehen soll. Drei Minuten später fährt das Taxi heran. Sandra steigt überhastet ein. Ich bleibe am Straßenrand zurück und winke ihr nach.

Während ich winke, steigt eine Angst in mir hoch. Es ist die Angst, daß mein Wunsch nach Ordnung (*eine* Frau, *eine* Liebe, *eine* Wohnung, *eine* Klarheit) sowohl die gegenwärtige als auch alle zukünftigen Ordnungen zerstören wird. An manchen Tagen fühle ich den Schmerz deutlicher; offenbar ist heute so ein Tag. Viele zerzauste und abgewirtschaftete Leute gehen an mir vorbei. Ein leicht angetrunkener Mann mittleren Alters kommt auf mich zu. Hallo, wie gehts! ruft er aus und gibt mir die Hand. Ich erinnere mich nicht an den Mann, ich kenne ihn nicht. Von Steffan, sagt der Mann, hast du Steffan auch vergessen? Ich kenne keinen Steffan, es ist mir peinlich. Der Mann läßt mich stehen, er überquert die Straße, ich schaue ihm nach, vielleicht erinnert mich sein Gang an irgend etwas. Dann sehe ich, daß er auf einen anderen Fremden zugeht, ihn anspricht und ihm ebenfalls die Hand reicht. Auch der neue Fremde zuckt mit den Schultern, auch er weiß von nichts. Mein Gott, er ist verrückt, nicht ich, denke ich unangemessen erleichtert. Wieder habe ich ein bißchen Angst vor Morgenthalers Party. Ich werde viel zuviel reden und auch noch voller Eifer. Schon nach einer Stunde werde ich mir total unauthentisch vorkommen. Ich lese und höre immer wieder, daß die Menschen heute ein multiples Ich haben und daß es völlig normal ist, wenn wir heute ein anderes Ich haben als gestern und vorgestern. Insofern müßte ich mich über meine Nichtauthentizität nicht beunruhigen. Das Problem ist nur, daß ich die vielen Ichs gar nicht haben möchte, im Gegenteil. Ich beharre darauf, daß ich heute genau derjenige bin, der ich schon gestern war und der ich übermorgen wieder sein werde. Ich strenge mich manchmal sogar an, mir selbst möglichst geschlossen und widerspruchsfrei zu erscheinen. Aber sobald ich längere Zeit auf einer Party bin, vergesse ich meine Prinzipien und vertrete Meinungen, die nicht die meinen sind, und betone nebensächliche Aspekte meines Lebens bis an die Grenze zur Peinlichkeit. Am persönlichsten, das heißt am geschlossensten, bin ich, wenn ich wie jetzt eine Straße entlanggehe und nur mir selbst einleuchten möchte. Leider befinde ich mich viel zu selten in diesen beglückenden Einsamkeiten. Auch die gerade durch mich hindurchziehende Unangefochtenheit geht in diesen Augenblicken schon wieder zu Ende, weil zwischen einem Steh-Café und einem Wollgeschäft der Ekelreferent Dr. Blaul auf mich zukommt und mich begrüßt. Dr. Blaul ist gut gelaunt, vielleicht hat er endlich einen Betrieb gefunden, den er für seine Idee des Ekelurlaubs hat gewinnen können.

Er deutet auf das Steh-Café und fragt, ob wir nicht eine Tasse Kaffee miteinander trinken sollen. Ich bin unschlüssig, aber ich entdecke im Schaufenster des Steh-Cafés ein Sonderangebot mit Fönen. Die Anschaffung eines Föns vor einigen Tagen ist gescheitert, weil ich kurz vorher Bettina getroffen habe und es zwischen uns zu einer peinigenden Szene kam. Ich nicke und betrete mit Dr. Blaul das Steh-Café. Wir tragen unsere Tassen an einen der Tische. Der Ekelreferent macht mich auf den unappetitlichen Zustand der Tassen aufmerksam. Sie haben vom vielen Gebrauch Abschürfungen und Risse davongetragen. Unsere beider Tassen haben überdies an den Innenseiten mehrere graue Stellen, die die ohnehin offen zutage liegende Schlampigkeit des Steh-Cafés auch in den Details verraten. Dr. Blaul deutet auf die Tassen und fragt, ob ich nicht auch ein bißchen Ekel empfinde.

Oh, mache ich, eigentlich nicht.

Aha, macht Dr. Blaul, Sie sind ekelresistent wie die meisten modernen Menschen.

Soweit würde ich nicht gehen, sage ich und will hinzufügen: Mir reicht mein eigener Ekel, aber ich unterdrücke die zweite Hälfte des Satzes.

Denn der Anblick der Föne erinnert mich an das Zusammentreffen mit Bettina. Vor etwas mehr als fünfundzwanzig Jahren, zu Beginn unserer Ehe, habe ich mir nicht vorstellen können, daß unsere Liebe zueinander jemals gestört werden oder gar aufhören könnte. Zu unserem Liebesspiel gehörte, daß sich Bettina hinlegte, die Beine öffnete und ich mich mit dem Mund über ihr Geschlecht beugte. Ich hatte das wonnige Gefühl eines Kindes (dieses Bild fiel mir damals oft ein), das mit nicht nachlassender Lust eine längst leere Schale mit Schokoladenpudding oder Eis noch einmal und noch einmal leerte. Eines Tages war es soweit: Unser Sexualleben ekelte mich. Es war so, daß Bettinas Geschlecht, während es auf seinen Höhepunkt hinzitterte, mehr und mehr Feuchtigkeit hervorbrachte, bis meine Lust in ihr Gegenteil umschlug, und zwar immer öfter, ehe Bettina ihren Orgasmus erreicht hatte. Ich kann nicht ausdrücken, wie sehr mich die überraschende Wende in der Empfindung erschreckte und verwirrte. Ich konnte nicht mehr anders, ich mußte auf diesen Teil unserer Intimität mehr und mehr verzichten. Dr. Blaul redet jetzt über die innere Betäubung des Ekelgefühls, von der ich nicht sage, daß sie mir weder damals noch später gelang. Bettina schaute mich immer öfter ratlos an, sie wartete auf eine Erklärung, die ich nicht geben mochte. Ich konnte ja nicht sagen: Die Menge deiner Sämigkeit überfordert mich – oder so ähnlich. Das plötzliche Besudelungsgefühl inmitten des Entzückens war unaufhebbar für immer. Die Heimsuchung des Ekels zerstückelte mein Vergnügen vor meinen Augen, sie verschloß mir den Mund und verwandelte meinen früheren Eifer in eine Erinnerung an eine vergangene Lust. Noch heute erschauere ich über die unerhörte Verstecktheit unseres Unglücks, noch immer überwältigt mich die Tragödie der Scham, die mich damals und heute vorübergehend stumm werden läßt.

Sie sind ein höflicher Mensch, sagt Dr. Blaul, Sie wollen sich nicht in den Ekel eines kleinen Steh-Cafés einmischen.

Nein nein, sage ich, ich denke nur über Ihre These nach, daß die meisten modernen Menschen ekelresistent sind.

Dr. Blaul lacht. Die These gilt nur für den minimalen gewöhnlichen Tagesekel, sagt er.

Ach so, mache ich.

Mit dem kleinen Ekel leben wir, sagt er, den großen können wir nicht fassen.

Mit einem kleinen Aufkommen von Tagesekel trinken wir unsere Tassen leer und bringen sie zur Theke zurück. An der Tür fällt mir ein, daß ich mir hier einen neuen Fön kaufen will. Ich verabschiede mich von Dr. Blaul und kehre noch einmal in das Steh-Café zurück. Eine Verkäuferin packt mir einen Fön ein, ich zahle und gehe. Das Päckchen in der Hand hilft mir, die Erinnerung an die Scham zu überwinden und mich wieder ins Leben hineinzuschieben.

8

An einem Dienstagmorgen sitze ich im Wartezimmer des Arztes, dessen Adresse mir Sandra aufgeschrieben hat. Am liebsten würde ich zu dem Doktor sagen: Meine Krampfadern sind in Ordnung, ich bin nur hier, weil mich eine Frau zu einem einmaligen Arztbesuch gezwungen hat. Ich weiß kaum, wo ich hinschauen soll. An der Wand links hängt ein Plakat über die ersten Anzeichen von Schlaganfällen, an der Wand rechts ein Plakat über Venenleiden und genau vor meinen Augen eine Bildtafel über die häufigsten Hauterkrankungen. Ich bin dankbar, daß ich in der neben mir herunterhängenden Nesselgardine ein kleines rundes Loch entdecke. Es sieht aus, als hätte ein erregter Patient mit einem Bleistift das Loch in die Gardine gestoßen. Weil auch ich erregt bin, stecke ich die Spitze meines linken kleinen Fingers in das Loch und mache es damit ein bißchen größer. Es gelingt mir, sämtliche Warntafeln zu ignorieren. Ich werde meinen Tod sowieso nicht verstehen, also muß ich auch die ihm vorausgehenden Zeichen nicht verstehen. Das ist ein ausgezeichneter Abwehrgedanke, der wie ein Fels in der Mitte des Wartezimmers aufragt. Ich habe nicht die geringste Lust, die anderen Leute im Wartezimmer zu betrachten. Ich empfinde Sehnsucht nach meinen beiden Frauen. Eine Weile überlege ich, ob ich Sandra und Judith meine beiden Frauen nennen darf. In einem Wartezimmer, finde ich, ist mir eine derartige Zusammenfassung erlaubt. Sie macht mich reich inmitten der Armutsanmutung des Wartezimmers.

In einem kleinen Lautsprecher im rechten oberen Winkel des Wartezimmers ertönt mein Name. Gehen Sie bitte in Behandlungszimmer vier, sagt eine Frauenstimme. Die Größe der Praxis schüchtert mich ein. In Behandlungszimmer vier setze ich mich auf einen Plastikstuhl und sehe jetzt unausweichlich auf eine Warntafel über Gelenkerkrankungen. Kurz danach betritt ein junger Doktor den Raum und sagt: Womit kann ich Ihnen helfen?

In letzter Zeit habe ich immer wieder Muskelkrämpfe und Schmerzen in den Beinen, sage ich.

Darf ich mal sehen, sagt der Arzt und tritt vor mich hin. Ich erhebe mich, öffne den Gürtel und lasse meine Hose auf den Boden gleiten.

Oh, macht der Arzt, sind Sie erblich belastet?

Vermutlich, sage ich, mein Vater hatte auch Krampfadern, meine Mutter hatte sogar offene Beine.

Die kriegen Sie auch, wenn Sie nichts tun, sagt der Doktor; fürs erste verschreibe ich Ihnen ein Paar Kompressionsstrümpfe, die Sie täglich tragen sollten.

Auch nachts?

Nachts nicht, sagt der Arzt; am besten wäre, Sie legen sich mal eine Woche ins Krankenhaus und lassen sich die verbrauchten Krampfadern ziehen.

Oh Gott, stöhne ich.

Der Arzt erklärt, wie es ist, wenn das Blut durch die Adern fließen will und nicht kann, weil die Venenklappen verschlossen sind. Das Wort Venenklappen flößt mir eine so starke Unlust ein, daß ich dem Arzt nicht mehr zuhöre. Ich schaue aus dem Fenster und beobachte eine Frau, die auf einem Balkon des Hauses gegenüber mehrere nasse

Bettücher aufhängt, vermutlich gegen die Hitze. Der Doktor kniet vor mir nieder und mißt die Entfernung zwischen meinen Kniekehlen und meinen Fersen, danach den Umfang meiner Waden. Er füllt ein Rezept mit den Maßen aus und sagt: Ich verschreibe Ihnen eine Großpackung mit Magnesiumtabletten. Sie nehmen bitte eine Tablette morgens und eine abends.

Ich ziehe meine Hose hoch und bedanke mich.

Im Türrahmen sagt der Arzt: Und überlegen Sie, ob Sie nicht eine Woche lang ins Krankenhaus gehen sollten, das wäre die sauberste Lösung für Ihr Problem.

Ja, sage ich eilig; und wo kriege ich die Kompressionsstrümpfe?

In jedem Orthopädie-Fachgeschäft.

Eine Minute später bin ich auf der Straße und atme mehrmals durch. Ich sehe eine Menge Toto- und Lotto-Annahmestellen, Metzgereien, Obst- und Gemüseläden, Friseursalons und Bäckereien, aber kein Orthopädie-Fachgeschäft. Die Friseursalons nehmen in den letzten Jahren überhand. Sie haben neuerdings breite, offene Schaufenster ohne Gardinen. Man soll es interessant finden, wie Friseure in anderer Leute Haare herumwühlen. Durch die Hitze entsteht ein Pfropfgefühl in den Ohren, als sei die Luft flüssig geworden. Ein bißchen Ruhe finde ich durch die Beobachtung eines älteren, weitgehend erstarrten Paares, das mit erheblichen Anstrengungen aus einem Auto herauskrabbelt. Der Mann streckt seinen Stock nach draußen und sucht mit diesem Verbindung mit der Straße. Die Frau hält sich mit beiden Händen an der Karosserie und zieht sich ächzend aus dem Gehäuse. Der Mann steht, allerdings fällt ihm der Stock auf die Straße. Die Frau schreit über das Autodach, daß sie den Stock aufheben werde. Ich werde Sandra verschweigen müssen, daß mir der Arzt einen Krankenhausaufenthalt empfohlen hat. Schon seit einer Weile frage ich mich, ob Sandra einen Termin genannt hat, wie lange ich mir die Annahme ihres Heiratsantrags überlegen darf. Oder ist ein solcher Antrag ewig gültig? Plötzlich wünsche ich mir, daß ich sowohl Sandra als auch Judith schon als Kind gekannt haben möchte. Ich fühle, daß in dem Wunsch eine große Zartheit für *beide* Frauen steckt. Angst steigt in mir hoch, daß ich immer tiefer in das Klima einer Überforderung hineinwachse. Eine Weile bleibe ich stehen, um den Wirren meines Konflikts besser standzuhalten. Einmal murmle ich einen Satz vor mich hin: Seht her, so schaut ein Mann aus, dem vielleicht nicht zu helfen sein wird. Etwa zwei Minuten lang stehe ich in meiner Gespaltenheit bloß herum. Ich versuche sogar, mit meinem Problem vor mir selber anzugeben. In Wahrheit bin ich schon lange unzufrieden mit meiner Art, mich vor mir selber als Wiedergänger des Unglücks aufzuspielen, aber die Unzufriedenheit hilft mir nicht. Tatsächlich hatte ich und habe ich in meinem Leben nicht mehr Unglück und nicht mehr Glück als die meisten anderen Menschen auch. Wie es trotzdem dazu gekommen ist, daß ich von Jugend an tragisch empfinde, ist mir schleierhaft. Wie mir diese nicht beendbare Unglückseitelkeit auf die Nerven geht! In diesen Augenblicken kommt Herr Bausback, der Postfeind, aus einem Zeitschriftenladen heraus und begrüßt mich. Er kommt mir heute aufgeschwemmter vor als sonst, auch schlechtriechend, aber erregt. Er hat eine Entdeckung gemacht, die er mit hastigen Sätzen mitteilt.

Ich habe meinen Briefträger dabei ertappt, wie er mit seinem offenen Postwagen herumfuhr, obwohl es regnete!

Nein, sage ich.

Doch, ich habe es mit eigenen Augen gesehen. Und tatsächlich fand ich später in meinem Briefkasten einen vom Regen halb aufgeweichten Brief, den ich *fast* nicht lesen konnte.

War es ein wichtiger Brief?

Zum Glück nicht! Aber so fahrlässig darf die Post nicht mit dem ihr anvertrauten Postgut umgehen!

Ich gebe Bausback recht, worüber er sich freut.

Und jetzt? frage ich.

Jetzt kaufe ich mir eine Kamera!

Sie wollen den Briefträger beim Umhergehen im Regen fotografieren?

Genau! ruft Bausback; ein Foto ist ein Beweis! Damit kann ich die Post wegen erwiesener Nachlässigkeit verklagen!

Ich stöhne leise vor mich hin.

Wissen Sie, wo ein gutes Fotogeschäft ist?

Ich schüttle den Kopf. Ich suche selbst ... nach einem ... Orthopädie-Fachgeschäft.

Ahh! ruft Bausback, ist es soweit!

Ich lache kurz, frage aber nicht, wie er seinen Ausruf meint.

Gehen Sie einfach diese Straße immer weiter, nach ungefähr zweihundert Metern kommt auf der linken Seite das Seniorengeschäft Wagner, dort habe ich mal ein Bruchband gekauft!

Wir trennen uns, ich gehe in die Richtung, die mir Bausback gezeigt hat. Die Straße führt aus dem Stadtkern hinaus. Es gefällt mir, wie sich die Innenstadt langsam in ein ländliches Ambiente verwandelt. Die Häuser werden kleiner und dörflicher, viele sind nur noch zweistöckig, manche haben Hofeinfahrten oder kleine Gärten zwischen Haustür und Straße. Da und dort tauchen ältere Wirtschaften auf, die noch immer ›Zum kühlen Krug‹, ›Zur Stadtgrenze‹ oder ›Zum starken Mann‹ heißen, wie sich im Zentrum kein Lokal mehr zu nennen wagt. An einer Kreuzung entdecke ich das Sanitätshaus Wagner. Im Schaufenster sind Behindertenstühle, Bettpfannen, Sicherheitsklos und Still-Büstenhalter ausgestellt. Als ich die Tür öffne, ertönt eine helle Glocke. Ein Mann Mitte Fünfzig tritt in den Raum, ich halte ihm mein Rezept hin. Der Mann holt diverse Schachteln aus einem Wandschrank und baut sie vor mir auf der Theke auf. Im Augenblick, als ich die vielen Strümpfe sehe, fällt mir ein Erlebnis mit meiner Mutter ein. Es war in einem tiefverschneiten Park, meine Mutter und ich waren weit und breit die einzigen Spaziergänger. Plötzlich kam ein Mann mit schnellen Schritten auf meine Mutter zu. Mit der linken Hand hielt er den Oberkörper meiner Mutter fest, mit der rechten griff er ihr unter den Rock. Ich war neun Jahre alt und verstand nichts. Geh weg! rief mir meine Mutter zu. Ich ging nicht weg, ich schaute zu, was der Mann mit meiner Mutter machte. Etwa zwei Minuten lang kämpfte er mit der Hand unter dem Rock meiner Mutter. Dann sah er sich um und verschwand so schnell, wie er gekommen war. Mutter nahm mich an der Hand, wir gingen rasch nach Hause. Beim Abendbrot erzählte sie meinem Vater, daß sie heute von ihren langen Wollunterhosen gerettet worden ist. Der Kerl wollte mir an die Wäsche, sagte sie, aber das Wollzeug hat ihn mutlos gemacht! Die Kompressionsstrümpfe aus dem Seniorenhaus Wagner sind entweder schwarz, braun oder ekelhaft fleischfarben. Ich nehme die fleischfarbenen, damit ich ganz sicher bin, sie nicht ein einziges Mal zu tragen. Der Mann verpackt die Strümpfe, ich sehe ein kleines Schild mit der Aufschrift: Wir verleihen Gehstöcke. Draußen überlege ich, was geschehen soll, wenn ich einmal krank werde und Pflege brauche. Für den Fall, daß ich mit Sandra verheiratet wäre, könnte ich mich nicht von Judith pflegen lassen und umgekehrt. Du darfst nicht krank werden und nicht heiraten, sage ich ernsthaft zu mir.

Es wird ein Uhr, ich werde müde, hungrig und immer empfindlicher. Neben dem Eingang einer schlichten Wirtschaft steht eine Tafel mit dem Angebot: Suppe mit Brot 2,– Euro. Die Offerte ist mir sympathisch. Sie stützt meine Überzeugung, daß eine neue Armut auf uns zukommt, die uns dann in einen neuen Faschismus hineinstoßen wird. Im Inneren der Wirtschaft sehe ich breite Tische und alte Holzstühle. Ich nicke den einzigen Gästen zu, einem älteren Arbeiterehepaar, das in der Nähe des Ausschanks sitzt. Eine Frau erscheint und tritt vor mich hin. Ich bestelle die Suppe mit Brot und ein Glas Wasser. Das Arbeiterehepaar streitet darüber, ob die Brille des Mannes häßlich ist oder nicht. Die Frau will, der Mann soll sich eine neue Brille anschaffen, der Mann will nicht. Wieso denn, fragt er schon wieder, ich trage die Brille seit fünfzehn Jahren, und plötzlich fällt dir ein, daß sie häßlich ist. Ich nehme an, die Frau will dem Mann eigentlich sagen, daß er selber häßlich geworden ist, nicht die Brille. Es ist sogar möglich, daß die Häßlichkeit des Mannes über die Jahre hin auf die Brille übergegangen ist.

Zwei Kinder, ein Junge und ein Mädchen, kommen aus der Küche, gehen im Lokal umher und schauen mich an. Der Junge ist etwa neun Jahre alt, das Mädchen vielleicht sechs. Der Junge setzt sich an meinen Tisch, das Mädchen bleibt im Raum stehen und schaut. Der Junge holt einen Kamm aus seiner Hosentasche und fängt an, mich zu kämmen. Ich bleibe stumm und rühre mich kaum. Der Junge hat Vergnügen daran, mein Haar mal nach links, dann wieder nach rechts zu kämmen. Zwischendurch frisiert er das Haar nach vorne und zieht an beliebigen Stellen einen Scheitel. Das Mädchen bleibt auf Distanz und kichert leise. Eine Weile kommt niemand, dann tritt die Frau, vielleicht die Mutter der Kinder, mit der Terrine aus der Küche. Der Junge läßt von mir ab, bleibt aber in meiner Nähe. Die Frau stellt die Terrine vor mir auf den Tisch, geht erneut in die Küche und bringt ein Glas Wasser und zwei Scheiben Schwarzbrot. Die Suppe schmeckt ausgezeichnet. Es ist eine Gemüsesuppe mit Eierpfannkuchenstreifen drin. Auch das Wort Eierpfannkuchenstreifen gefällt mir, ich wiederhole es in meinem Inneren und mache es dabei noch ein bißchen länger: Eierpfannkuchenrandstreifen. Denn am Rand sind Eierpfannkuchen besonders knusprig; das merkt man auch dann noch, wenn der Rand in Form von Streifen in einer Suppe gelandet ist. Man sollte überhaupt nur essen, wenn man dabei gute Wörter im Kopf bewegen kann. Ich fühle, die Kinder warten, daß ich mit der Suppe fertig werde. Auch mich drängt es, von dem Jungen weiter gekämmt zu werden. Durch die Berührungen der kleinen Kinderfinger fällt mir ein, daß ich, als ich Kind war, gerne meinen Vater umfrisiert habe. Auch er ließ mich gewähren, wie ich jetzt den Jungen gewähren lasse. Neulich, auf dem Friedhof, habe ich meinen Vater verleumdet. Ich habe vor mir selber so getan, als gebe es nur negative Erinnerungen an ihn. Das ist ein weiteres Beispiel für meine lächerliche Unglückseitelkeit, für mein gar zu automatisches tragisches Empfinden. Das tut mir jetzt leid. Immerhin korrigiere ich hier und jetzt meine Erinnerung. Das ist ein gutes Zeichen. Schon ist die Terrine leer. Ich lehne mich zurück und kaue an einer Schwarzbrotscheibe. Der Junge nähert sich mir erneut. Das Mädchen traut sich nicht, es bleibt in der Nähe der Theke stehen, hält sich eine Hand vor den Mund und kichert. Der Junge kämmt jetzt kräftig die eine Hälfte meines Haars nach links, die andere nach rechts. Das Mädchen muß so sehr lachen, daß es in die Küche rennt. Ich erinnere mich, daß ich von Zeit zu Zeit vor meinen Vater hintrat und über seinen Anblick ebenfalls lachen mußte. Es berührt mich, daß mein Vater damals so großzügig war. Das Mädchen kommt mit einem schönen Ball aus der Küche und rennt mit ihm hinaus ins Freie. Plötzlich läßt der Junge von mir ab und springt ebenfalls hinaus ins Freie. Momentweise empfinde ich Neid auf das Kinderleben. Nur Kindern sind derartig überraschende Abbrüche erlaubt. Mit zwei Handbewegungen ordne ich mein Haar. Mir fällt ein, daß ich als Kind meinen Ball nicht mit auf die Straße nehmen wollte. Ich hatte Angst, daß er durch das Spielen zu schnell unansehnlich würde. Es genügte mir, den Ball in der Wohnung in der Hand zu halten. Das Gefühl beim Ballhalten war das Glück. Eine Weile nahm ich meinen Ball auch mit ins Bett. Wenn der Ball ruhig neben meinem Kissen lag, ging ebenfalls reines Glück von ihm aus. Die Frau tritt in den Gastraum und räumt die leere Terrine und das Glas ab. Ich zahle und suche kurz die Toilette auf. Wieder ist mein Urin schaumig. Ein bißchen beunruhigt durchquere ich den Gastraum und gehe nach Hause.

In meiner Post ist eine Karte von Sandra. Mein Lieber, schreibt sie, hoffentlich kommst du ohne mich zurecht. Ich bin gerade angekommen, meine Schwester ist sehr nervös. Ich beruhige sie, denn ich glaube, sie braucht sich wegen des Kindes keine Sorgen zu machen. Gießt du auch meine Blumen? Gruß und Kuß Deine Sandra. In meinem Arbeitszimmer lege ich die Post ab. Aus Neugierde probiere ich die Kompressionsstrümpfe an. Ich kann kaum glauben, daß man derartig feste und enge Strümpfe wirklich tragen soll oder kann oder muß. Ein paar Minuten lang gehe ich in den Strümpfen in der Wohnung umher, dann ziehe ich sie wieder aus und betrachte die Druckstellen auf meinen Beinen. Warum schickt mir Judith keine Postkarte? Warum schickt Judith überhaupt nie Postkarten? In meiner Post ist auch ein Brief der Deutschen Apokalyptischen Gesellschaft. Sie will für ihr nächstes Jahrbuch einen Beitrag von mir. Es darf auch ein bereits anderswo veröffentlichter Text sein. Endredaktion ist der 31. Oktober. Aus Versehen lese ich anstelle des Wortes Endredaktion das Wort Enderektion. Zwei Sekunden später landet ein schwarzer Vogel auf meinem Kopf und schaut an meiner Statt in die Welt. Der Verleser führt sofort zu einer Verelendung meiner inneren Lage und zu einer Ermattung aller meiner Glieder. Ich will nicht schon wieder vom Altersproblem durchzuckt werden, aber es gibt neuerdings keine Ruhe mehr. Dabei habe ich längst den Eindruck, daß meine Angelegenheiten nicht mehr von mir durchlebt werden wollen. Meine Art des Denkens ist meinen Problemen unangenehm. Genaugenommen langweilen mich meine Konflikte sogar, aber ich darf dieser Langeweile nicht folgen. Ich stehe, liebestechnisch gesehen, mit dem Gesicht, das heißt mit dem Geschlecht, zur Wand. Ich sollte mich vom Sexualleben zurückziehen; ich verliere, wie soll ich sagen, mehr und mehr Liebessubstanz, vornehmer ausgedrückt: an Libido. Ich müßte Mut haben und zu Sandra *und* Judith sagen: Der aktive Teil meines Sexuallebens geht vermutlich bald zu Ende, ich bitte darum, verlassen zu werden. Die Feigheit dieses Gedankens ist leider typisch für mich. Denn genaugenommen ist Altern ein Zustand, der zu mir paßt. Altern ist nur ein anderes Wort für Unwilligkeit, und unwillig war ich schon als Kind. Im Grunde habe ich von Kindheit an auf das Altern gewartet, es ist mir ähnlich. Warum mache ich mir diese Auffassungen nicht zu eigen? Warum lasse ich mich statt dessen von dem Wort Enderektion quälen, das ich auch noch selbst erfunden habe? Auf dem kleinen Tisch im Wohnzimmer entdecke ich Brotkrümel. Im ersten Augenblick erschrecke ich, aber dann erinnere ich mich: Ich habe gestern nacht ein halbes Brötchen gegessen, hier am Tisch, inmitten einer nächtlichen Ratlosigkeit. Soviel ist klar: Ich will bei meiner Enderektion nicht dabeisein. Das heißt, ich muß *vorher* aufhören. Aber ich möchte nicht aus Angst schon jahrelang vorher aufhören, sondern so spät wie möglich. Und wie, bitte, soll ich diesen Zeitpunkt erkennen? Es zeichnet sich ab, meine Konfliktwoche wird vorübergehen und ich werde die Frauenfrage nur ein bißchen herumgetragen haben. Ich sehne mich nach Sandras Einfalt, von der ich mich nie bedroht gefühlt habe. Ich möchte Sandra von hinten nehmen und seitlich von oben dabei zuschauen, wie ihre Brüste beim Vögeln hin- und herschaukeln. Ich meine das nicht pornographisch, ich meine es mütterlich, warmherzig und ausweglos: Schaukelnde Brüste sind ein Ausdruck von Heimat und Freude. Ich bin froh, daß ich in meiner Wohnung bin und von niemandem beobachtet werden kann. Nach etwa fünfzehn Minuten läßt die Einschüchterung des Wortes Enderektion nach. Ich finde den Weg zum Telefon und rufe die Deutsche Apokalyptische Gesellschaft an. Vielen Dank für Ihren Brief, sage ich zur Sekretärin, ich werde einen Beitrag abliefern. Dann ist es wieder still in der Wohnung. Ich gehe ans Fenster und schaue zu den anderen Wohnungen hinüber. Ein leichter Ekel zieht durch mich hindurch, als ich die in der Nacht verschwitzten Kissen sehe, die auf einigen Balkonen zum Trocknen ausliegen. Ich frage mich, ob mich der Junge in der Wirtschaft wieder frisieren wird, wenn ich dort noch einmal auftauche. Die unaussprechlich sanften Berührungen durch die Kinderfinger erinnern mich an einen furchtbaren Sommer vor einunddreißig Jahren, als Bettina und ich ein Kind abgetrieben haben. Bettina nahm heiße Bäder und rannte im Laufschritt durch den Park, aber der Embryo löste sich nicht. Ich weiß nicht mehr, von wem wir die Adresse eines Kurarztes in Bad Kissingen bekommen haben. Er versprach, die Sache an einem Vormittag zu erledigen, und verlangte dafür tausend Mark. Wir fuhren nach Bad Kissingen und quartierten uns in einem Kurhotel ein. Der Arzt nahm den Eingriff vor, aber Bettina verlor den Embryo nicht. An fünf aufeinanderfolgenden Vormittagen mußte Bettina den Gynäkologenstuhl besteigen. Erst am sechsten Vormittag war der Eingriff erfolgreich. Nach zwei Stunden taumelte Bettina aus der Praxis. Sie klagte über Schmerzen und stöhnte auf der Straße. Nach einer Viertelstunde war sie so geschwächt, daß wir uns im Kurpark auf eine Wiese legten. Zum Glück war die Wiese so weiträumig, daß uns niemand weinen hörte. Es quält mich die peinliche Phantasie, der Junge, dessen Finger mich berührt haben, sei der Engel des Kindes, das Bettina und ich aus der Welt geschafft haben. Wie so oft leide ich unter zu starken Empfindungsströmen. Eigentlich bin ich nur müde und müßte eine Stunde schlafen. Aber leider sind Müdigkeit und Schlaf bei mir zwei sehr verschiedene Dinge, die nicht oft zusammenfinden. Ich laufe in der Wohnung umher wie eine aufgeschreckte Jungfer, die bald an Schicksalsüberschätzung eingehen wird. Da klingelt das Telefon. Ich schrecke zusammen, als hätte ich vergessen, daß es Telefone gibt. Es ist Sandra.

Meine Schwester ist geschieden, ruft sie, das Familiengericht hat ihr das Sorgerecht zugesprochen!

Sandra redet, ich höre zu. Sonderbar ist, daß die Nachricht des der Mutter zugesprochenen Sorgerechts auch mich besänftigt. Die Mitteilung gleitet in mich hinab, als hätte ich auf nichts anderes gewartet als auf diese Erleichterung.

Hast du meine Blumen auch nicht vergessen?

Wo denkst du hin, sage ich, ich übersehe kein einziges Stiefmütterchen.

Das ist auch gar nicht möglich, sagt Sandra, weil sich in meiner Wohnung kein einziges Stiefmütterchen befindet.

Jaja, sage ich, du weißt doch, daß ich die Namen der Blumen durcheinanderbringe.

Schon gut, sagt Sandra und lacht; ich bleibe noch drei Tage bei meiner Schwester, vielleicht auch vier.

Erhol' dich gut, sage ich.

Das Kind ist glücklich, daß es bei seiner Mutter bleiben darf.

Mein Gott, mache ich hilflos.

Tschüß!

Sandra legt auf. Ich bleibe eine Weile neben dem Telefon sitzen und schaue dabei zu, wie sich die Beruhigung über das der Mutter zugesprochene Sorgerecht in meinem Inneren weiter ausbreitet. Ich kenne Sandras Schwester nicht. Ich habe weder Mutter noch Kind ein einziges Mal gesehen. Nach einer Weile fesselt mich das Insektengebrumm, das ich in meinem Zimmer höre. Ich kann am Fluggeräusch erkennen, ob es von einer Fliege, einer Biene oder einer Wespe herrührt. Es kommt diesmal von einer Biene, die sich auf vielen Gegenständen niederläßt, ohne vermutlich zu vergessen, daß sie gefangen ist und den Raum so schnell wie möglich wieder verlassen möchte. Nach meinen Beobachtungen sind unter den Fluginsekten die Bienen die intelligentesten und die Fliegen die dümmsten. Eine Fliege rast hundertmal an einer offenen Balkontür vorbei und erkennt nicht, daß sie durch die Tür entkommen könnte. Eine Biene hingegen gerät ein einziges Mal in die leichten Luftströme in der Nähe der Tür und ahnt ihre Chance. So ist es auch jetzt. Die Biene verliert das Interesse an den Gegenständen in meinem Zimmer und fliegt durch die nicht einmal ganz geöffnete Balkontür hinaus in die Freiheit.

9

Die Wahrheit ist, daß ich Sandras Blumen bis jetzt nicht ein einziges Mal gegossen habe. Vermutlich sind viele von ihnen schon eingetrocknet. Das beste wird sein, ich ersetze die verdorrten Exemplare durch neue. Ich werde die Reste der abgestorbenen Blumen einpacken und in einem Blumengeschäft wieder auspacken und dazu sagen müssen: Geben Sie mir frische Exemplare dieser Blumen bitte – oder so ähnlich. Am Mittwoch nachmittag stecke ich die Schlüssel von Sandras Wohnung ein und mache mich auf den Weg. Die Menschen auf der Straße wirken heute wie übriggebliebene Comicfiguren. In einem Terrassencafé sitzt eine junge Frau mit schmutzigem T-Shirt, blauer Sonnenbrille und grünem Haar. Die Frau neben ihr trägt trotz der Hitze schwarze Ledersachen. Sie trinkt eine Flasche Milch in einem Zug halbleer und verstaut die Flasche dann wieder in einer Plastiktüte. Ein paar Jugendliche mit McDonald's-Kappen auf dem Kopf und Bierflaschen in der Hand taumeln eng an den Schaufenstern entlang und grölen: Im Himmel gibts kein Bier, drum trinken wir es hier. Neben dem Eingang des Gesundheitsamtes sind ein paar Edelstahlbänke aufgestellt worden. Ihr metallisches Grau und die eckige Form rufen in mir Ekelgefühle wach. Die Waschbetonplatten am Gesundheitsamt und die halbnackten, gegen sie gelehnten Männer passen plötzlich zusammen. An der Kreuzung Lindenstraße/Max-Beckmann-

Straße steht ein Mann vor einem rechteckigen Stahlcontainer und verkauft Brathähnchen. Ich habe den Mann schon vorige Woche beobachtet. Täglich gegen fünfzehn Uhr fährt er in seinem Pkw vor und sucht für seinen Hähnchencontainer einen geeigneten Standplatz. Dann koppelt er den Container ab und parkt seinen Pkw ein paar Straßen weiter. Er öffnet die beiden vorderen Flügeltüren des Containers, und zum Vorschein kommen etwa achtzig ganze Hähnchen, fertig aufgespießt auf acht Drehspießen. Jetzt, am Spätnachmittag, verkauft er die meisten Hähnchen. Bis gegen 19.00 Uhr zieht starker Bratfettgeruch die Straßen hoch, gegen den offenbar niemand einschreitet. Gegen 19.30 Uhr schließt der Mann die Flügeltüren des Containers, bis er am nächsten Tag mit neuer Ladung zurückkehrt. Ich überquere die Kreuzung und biege in die Wupperstraße ein. Von fern sehe ich das rotbraune Haus, in dem Sandra wohnt. Ein junger Drogenabhängiger bleibt vor mir stehen und fragt nach dem Gesundheitsamt. Ich deute mit dem rechten Arm nach hinten und sage: Sie sehen doch die drei neuen Ekelstahlbänke, oder? Genau gegenüber befindet sich das Gesundheitsamt. Mit einem trüben Aufblick bedankt sich der Mann und zieht weiter.

In Sandras Wohnung öffne ich die Fenster und lasse den muffigen Geruch abziehen. Die Blumen befinden sich in alarmierendem Zustand. Die meisten von ihnen dürften nicht mehr zu retten sein. Dennoch fange ich sofort an zu gießen. Ich nehme mir vor, bis zu Sandras Rückkehr die Blumen jeden Tag zu wässern. Erst am letzten Tag werde ich entscheiden, welche Blumen ich durch neue ersetzen werde und welche nicht. Nein, so lange darf ich nicht warten. Dann wird Sandra sofort bemerken, daß ich ihre Blumen gegen neue ausgetauscht habe. Die wenigen Blumen, die ich mit Namen kenne, sind ein paar Geranien und Alpenveilchen, die noch halbwegs passabel aussehen. Im Badezimmer entdecke ich drei von Sandras Bildern. Wollte sie sie vor mir verstecken? Auf dem Weg hierher habe ich mir wieder Sorgen gemacht, wie ich mich Sandras Hobby gegenüber verhalten soll. Ich habe mir Gedanken gemacht, warum so viele absolut talentlose Menschen sich ausgerechnet der Kunst zuwenden. Morgenthalers tote Mutter nahm bis ins hohe Alter Gesangsunterricht und hoffte auf eine späte Karriere als Opernsängerin! Sogar meine eigene Mutter war nicht frei von solchen Verirrungen. Am Ende meiner Schulzeit hielt auch sie sich für eine große Malerin. Unsere Abiturklasse fuhr nach Amsterdam und besuchte das dortige Van-Gogh-Museum. Ich kaufte ein paar Postkarten mit den berühmtesten Van-Gogh-Bildern und schenkte sie einen Tag später meiner Mutter. Zwei der Bilder malte sie ab, erkannte aber, daß ihre Abbilder mit den Originalen nichts zu tun hatten. Zur Begründung sagte sie: Wenn ich mit dem Malen so früh angefangen hätte wie van Gogh, könnte ich heute genausogut malen wie er. Ein paar Jahre später glaubte sie, sie könnte ein Fernsehspiel schreiben. Ich schimpfte damals im stillen auf den Süddeutschen Rundfunk, der einen unseligen Schreibwettbewerb für »unsere älteren Mitbürger« ausgerufen hatte. Meine Mutter kam nicht über die erste Seite hinaus. Schon nach zwei Tagen übergab sie mir die Sache, ich setzte mich hin und schrieb für sie ein Fernsehspiel, das nicht für die Produktion ausgewählt wurde. Zum Glück, muß ich heute denken, sonst hätte sich Mutter auch noch für eine Dramatikerin gehalten. Aber plötzlich, ich weiß nicht wie, gehört Sandra für mich nicht mehr zu den Problemfällen. Im Gegenteil, ich liebe Sandra jetzt sogar wegen ihrer treuherzigen Versuche, eine Künstlerin zu werden.

Ich kann nicht entscheiden, ob ich die Kakteen ebenfalls gießen soll oder nicht. Dafür werden die beiden halbhohen Staudengewächse reichlich mit Wasser versorgt. Nach einer halben Stunde schließe ich die Fenster, lasse die Rolläden herunter und berühre mit der Hand Sandras Kopfkissen. Ich hebe einen der Kissenzipfel in die Höhe und sehe Sandras Nachthemd, sorgfältig zusammengelegt wie das Nachthemd einer Siebenjährigen. Ich beuge mich über das Bett und atme den Geruch von Sandras Nachthemd ein, dann verlasse ich die Wohnung.

Unten, auf der Straße, entdecke ich Herrn Bausback, den Postfeind, jedoch leider ein paar Sekunden zu spät. Kurz vorher hat er mich gesehen und kommt sofort auf mich zu.

Stellen Sie sich vor, sagt er, ich habe an der Hauptpost gerade eine Ratte entlanghoppeln sehen!

Nein!

Doch! Und was für ein Riesending das war!

Und Sie, was haben Sie gemacht?

Ich bin der Ratte nachgelaufen, sagt Herr Bausback, weil ich sehen wollte, wohin sie verschwindet!

Ist sie in den Schalterraum gelaufen?

Soweit ist es noch nicht, sagt der Postfeind völlig ernst; sie ist unter einen riesigen Stein gekrochen.

Nicht unintelligent, lobe ich die Ratte.

Das finde ich auch, sagt Herr Bausback; ich habe eine Weile gewartet, ob sie wieder hervorkommen würde, aber sie tat mir den Gefallen leider nicht.

Und jetzt?

Morgen gehe ich wieder zur Hauptpost, aber diesmal mit Fotoapparat! sagt Bausback. Zum zweiten Mal nennt er den Grünstreifen um die Post herum das Rattengebiet. Er beschuldigt die Post der Begünstigung von Schädlingen und der Ausbreitung von Seuchen. Ich versuche, seine Erregung zu dämpfen, indem ich auf das Problem der Hitze aufmerksam mache.

Man riecht ja schon die Kanalisation, sage ich, das zieht die Ratten an.

Genau! Um so aufmerksamer müßte die Post sein!

Werden Sie der Post Ihre Beweisfotos schicken?

Das nützt nichts! ruft Bausback; die Post reagiert überhaupt nicht auf ihre Skandale. Ich werde zum Tagesanzeiger gehen und die Story verkaufen!

Oh! mache ich bewundernd; dann muß die Post handeln?

Dann fühlt sie sich in die Ecke gedrängt, sagt Bausback.

Wie eine Ratte, sage ich.

Genau, sagt Bausback und muß endlich kurz lachen.

Viel Glück beim Tagesanzeiger!

Danke! ruft Bausback und entfernt sich.

Ohne Absicht bleibe ich eine Weile stehen und schaue ihm nach. Im Schaufenster einer Badezimmer-Boutique löst sich ein hinter der Scheibe befestigtes Plakat und liegt wenig später quer und unschön über den Auslagen. Schon überlege ich, ob das heruntergerutschte Plakat ein Hinweis für mein Leben sein soll, eine Erklärung, ein Fingerzeig oder eine Warnung, dieses oder jenes zu tun oder nicht zu tun. Wieso habe ich genau in den Augenblicken in das Schaufenster geschaut, als sich das Plakat löste? Ich muß meine Überempfänglichkeit für solche Details zurückdrängen. Aber wie? Ich betrachte im Schaufenster der Badeboutique die goldglänzenden Wasserhähne, die Blumenmuster auf den zierlichen Porzellanbecken, die zitronengelben Naturschwämme und empfinde die Fremdheit zwischen den Dingen und mir. Du wünschst dir nicht genug, du kaufst nicht schnell genug und du wirfst nicht schnell genug weg! Immer wieder brechen lange Konsumstockungen in dein Leben ein und trennen dich vom Denken der Mehrheit! Vermutlich hängt meine Nervosität auch mit meinen Schlafstörungen zusammen. Der Schlafmangel bringt tagsüber eine Stimmung hervor, in der ich manchmal möchte, daß mir jemand hilft. Aber dann bin ich froh, wenn es niemand versucht. Denn ich könnte nicht sagen, *wobei* mir zu helfen sei. Schon spüre ich wieder ein inneres Einsinken, ein zeitlupenartiges Umfallen, eine Auflösung meiner ... meiner was? Ich kann (könnte) nicht sagen, was mich aufzulösen droht, und weil ich es nicht sagen kann, werde ich gerade noch ein bißchen weiter aufgelöst. Unentschlossen gehe ich in Richtung Hauptbahnhof. Ich muß unbedingt die Evangelische Akademie Sattlach anrufen und das Seminar zusagen. Außerdem muß ich auf einen Brief der Polizeifachschule in Hannover antworten. Der Direktor fragt an, ob ich einen Vortrag zum Thema Unruhenfrüherkennung, Gewaltdiagnostik und Sicherheitsprophylaxe halten würde. In einer Polizeifachschule habe ich noch nie einen Vortrag gehalten, ich will es im Grunde auch nicht. Sie wollen von dir wissen, wo und wann neue Unruhen ausbrechen. Als ob ich das wüßte! Aber ich werde den Vortrag halten. In gewisser Weise erregt mich die Anfrage. Unruhen, mit denen sogar die Polizei rechnet, treten mit Sicherheit auch ein. Darin liegt ein Indikator für die Richtigkeit meines apokalyptischen Ansatzes. Am Hansaplatz komme ich am Hochhaus der Humanitas-Versicherung vorbei. Dort, im Erdgeschoß, gut verborgen hinter einem Lamellen-Sichtschutz, sitzt mein ehemaliger Freund Henschel, der sich vor vielen Jahren aus verletzter Scham von mir abgewandt hat. Er ist Sachbearbeiter bei der Humanitas, seit mindestens zwanzig Jahren. Die Lamellen hinter der Scheibe seines Zimmers stehen günstig. Ich kann Henschel, während ich sehr langsam draußen vorübergehe, an seinem Schreibtisch sitzen sehen. Er blättert eine Akte durch und kommt niemals auf die Idee, daß ihn von draußen jemand anschaut, der ihn aus früheren Zeiten schätzt und in diesen Augenblicken seiner Jugend gedenkt. Das tue ich tatsächlich, heute sogar länger als sonst. Henschel hat vor mehr als zwanzig Jahren an einer Dissertation über das Anerkennungsproblem bei Hegel gearbeitet, mit der er bei Habermas promovieren wollte. Ich erinnere mich an seine Begeisterung, die fast immer so anfing: Ich muß meinen verehrten Vordenker Hegel kritisieren, weil er ... Das klang eindrucksvoll und voller Zukunft, aber nach jahrelanger Arbeit verhedderte sich Henschel hoffnungslos in Hegels Metaphysik und Dialektik gleichzeitig. Er brach die Arbeit an der Dissertation ab und gab ein Jahr später sogar das Philosophiestudium auf. Aus der aufsteigenden Lebenslinie Hegel–Habermas–Henschel wurde das schlichte Eingeständnis Humanitas–Hansaplatz–Henschel, das mitzuteilen über seine Kräfte ging. Schon viel zu lange büßt er seine jugendlichen Höhenflüge hier in einem Erdgeschoß ab. Ich gedenke seines untergegangenen Übermuts und blicke dabei stumm und von hinten auf seinen reglosen Rücken.

Es beginnt fast zärtlich zu tröpfeln, ich drücke mich dichter gegen die Hauswände. Im Schutz einer überdachten Straßenbahnhaltestelle sitzt eine Frau auf einer Plastikbank und schimpft vor sich hin. Die Frau trägt einen altertümlichen Hut, wie er in der Nachkriegszeit eine Weile Mode war. Er hat die Form eines Topfs, an beiden Seiten ragen zwei dunkle Federchen hoch und flattern im lauen Wind. Ich setze mich neben die Frau, um ihr Schimpfen zu verstehen. Aber es ist nicht möglich. Das Schimpfen bleibt unverständlich. Es liegt am Gebiß der Frau, das ihr beim Sprechen immer wieder nach vorne rutscht. Ich stehe auf und gehe an ein paar betäubten Häusern vorbei, von denen es im Bahnhofsviertel noch viele gibt. Von diesen Häusern ist nur das Erdgeschoß bewohnt beziehungsweise belebt; schon der erste Stock ist nur noch halb bewohnt, und vom zweiten Stock an aufwärts beginnt eine zunehmende Verrottung. In einer der letzten Nächte ist mir ein winziges Stück von einem Schneidezahn abgebrochen. Jetzt fahre ich mit der Zungenspitze immerzu über die Bruchstelle. Ich rutsche mehr und mehr in einen Tageszustand hinein, den ich nicht schätze. Es ist die Verlangsamung des äußeren Lebens bei gleichbleibender innerer Eile. Vermutlich ist heute einer jener Tage, an denen viele Menschen glauben, sie hätten vielleicht Krebs. Wenn ich mich nicht täusche, läßt wenigstens das Getröpfel wieder nach.

Es öffnet sich die Straßenschlucht, sichtbar wird ein großer Platz beziehungsweise ein unbebautes Gelände. In der Mitte des Platzes steht ein Autoscooter und eine Bratwursthütte, rechts davon ein Süßigkeitenstand, links eine Wurfbude. Ein paar fliegende Händler, Inder und Arbeitslose laufen herum. Ich merke, daß meine inneren Beschreibungen nicht ganz der Wahrheit entsprechen, mich aber unterhalten. Vermutlich gibt es drei Möglichkeiten des Alterns: die Verzerrung, die Erhabenheit und die Melancholie, von denen ich wechselnd Gebrauch mache. Eine etwa Dreizehnjährige stakt in Stöckelschuhen über den staubigen Platz. Zwei der Inder haben sich Blazer mit Goldknöpfen angeschafft, die sie hier spazierenführen. Am besten gefällt mir der Lautsprecher der Wurfbude. Er ist mit einem blauen Plastiksack zugehängt beziehungsweise überstülpt. Unter der Plastikhülle dringt Schlagermusik leicht verzerrt, das heißt in angemessener Falschheit, hervor. Tagesgähner vermischen sich unmerklich mit Abendgähnern. Noch immer ist mir der entscheidende Schlag gegen die Monotonie dieses Nachmittags nicht geglückt. Am Rand des Platzes sehe ich einen mit roten und grünen Neonstäben erleuchteten Eingang einer Nachtbar. In einem kleinen Schaukasten betrachte ich die im Sonnenlicht gewellten Fotos einiger Stripteasetänzerinnen. Ich bin ein bißchen melancholisch und deswegen für Sexualkitsch zugänglicher als sonst. Aus der noch immer blendenden Tageshelle trete ich in das Halbdunkel der Nachtbar. Über ein paar rote Teppiche gerate ich in den Bühnenraum. Schwere Rumbamusik dröhnt durch das kleine Zuschauerrund. Links und rechts von mir sitzen einige abgedunkelte Persönlichkeiten und warten auf die nächste Darbietung. Eine Empfangsdame weist mir ein Tischchen zu. Eine Bardame beugt sich so tief über mich herab, daß ich in ihrem Haar gleichzeitig Rauch und Parfüm riechen kann. In ihrem Ausschnitt schaukelt an einem Goldkettchen ein Tigerzahn aus Plastik. Zuerst einmal das Übliche? fragt sie mich, ich nicke und bin ein bißchen gespannt, was das Übliche ist. Der Raum verdunkelt sich, die Bühne wird hell. Im Lautsprecher wird Pippi Langstrumpf angekündigt. Draußen donnert eine Straßenbahn vorüber und erschüttert momentweise das ganze Haus. Halbnackte Frauen erscheinen und verschwinden zwischen Vorhängen. Es erregt mich ein bißchen, daß ich nicht weiß, was in den Séparées geschieht. Die Bardame stellt das [illegible] vor mir ab, ein Bier und einen Cognac. Pippi Langstrumpf springt auf die Bühne. Sie ist fast nackt, hat gemalte Sommersprossen im Gesicht, trägt einen Schulranzen und Pippi-Langstrumpf-Zöpfchen. Sie umarmt den Kopf eines Pferdchens aus Pappmaché. In der Mitte der Bühne steht ein Pferdesattel mit Knauf. Pippi Langstrumpf, das Schulmädchen, zeigt seinen Traum, das Reiten. Pippi Langstrumpf steigt auf den Sattel, und zwar so, daß der Knauf seine Funktion als Penisnachbildung enthüllt. Pippi Langstrumpf setzt sich auf den Penisknauf und reitet los. Eine Weile geht es gut, dann merkt Pippi Langstrumpf, daß etwas nicht stimmt. Aber sie ist schon zu schwach, um das Pferd zu zügeln, das Verhängnis nimmt seinen Lauf. Es dauert eine knappe Minute, dann stürzt Pippi Langstrumpf halb entzückt und halb ohnmächtig vom Pferdesattel, der bloß umgebogene Gummiknauf schnellt wieder hoch. Pippi Langstrumpf liegt stöhnend neben dem Sattel, Schluß, der Vorhang fällt, schütterer Beifall von etwa sieben Männern. Ich trinke die Bierflasche halbleer, dann gehe ich auf die Toilette. Im Vorraum mache ich einen Fehler und lese zwei der handgeschriebenen Zeilen, mit denen Männer die Toilettenwände vollgekritzelt haben: Bei den Jungen kommt es schnell, bei den Alten eventuell. Ich habe mir eingebildet, ich könnte hier meine Verwirrung über die Enderektion verlieren. Jetzt, nach dem Toilettenreim, kehrt der schon für verschwunden gehaltene Schreck zurück. Im Dunkel des Korridors zwischen Toilette und Zuschauerraum nehme ich eines der dort abgestellten Weingläser und verberge es unter meinem Sakko. Ich brauche keine Weingläser, ich habe genug davon. In angegriffenen Situationen hilft mir das Mitnehmen von kleinen oder nicht so kleinen Gegenständen, die inneren Übergriffe meiner Überforderung auszuhalten. Es ist mir klar, was mit mir los ist, nur hilft mir die Klarheit nicht. Vor etwa vierzehn Tagen habe ich in einem anderen Lokal, durch dessen Räume ich nur hindurchgeschlendert bin, eine große weiße Stoffserviette mitgenommen. Sie liegt jetzt zu Hause bei mir neben dem Fernsehapparat, unbenutzt. Ich wische mir die Hände weiterhin mit Papiertaschentüchern ab, um die weiße Stoffserviette zu schonen. Mein linkes Knie schmerzt. Vielleicht brauche ich viel schneller, als ich denken mag, einen Gehstock. Es ist ganz leicht, ein Weinglas unter meinem Sakko zu verstecken. Ich kann das Glas mit der rechten Armbeuge einklemmen und mit der linken Hand einen Cognac trinken. Ich zahle bei der Bardame mit dem Tigerzahn im Ausschnitt, eine Minute später bin ich draußen. Ich empfinde Vergnügen dabei, während des Heimwegs darauf zu achten, nicht aus Versehen gegen eine Mauer oder gegen einen Pfosten zu prallen. Wenn die Verletzungsgefahr nicht so groß wäre, würde mich auch ein kleiner Unfall entzücken. Dann könnte ich mit eigenen Ohren hören, wie mein gläsernes Herz zerbirst. Damit ich schneller zu Hause bin, nehme ich die Abkürzung durch die Wiesengrundstraße und die Zellerstraße. Ich komme an der chemischen Reinigung BLITZ vorbei, in deren Schaufenster eine schöne elektrische Eisenbahnanlage zu sehen ist. Das heißt, so schön ist sie auch wieder nicht. Die Kanten des Tunnels sind abgestoßen, von den Tannenbäumen hat sich das Sägemehl teilweise gelöst und an den

Sperrholz-Häuschen werden braune Leimstellen sichtbar. Auf einem kleinen Schildchen ist zu lesen, daß die Anlage 1500,– Euro kostet. Das ist ein viel zu hoher Preis für eine derartig ältliche Bastlerarbeit. Ich kann nicht widerstehen, mich eine Weile vor das Schaufenster zu stellen. Denn ich spekuliere darauf, daß der Besitzer der chemischen Reinigung, der vermutlich auch der Besitzer der Eisenbahnanlage ist, aus seinem Hinterzimmer hervortritt und die Anlage für mich einschaltet. Der Besitzer kann seinerseits nicht widerstehen, in mir einen Kaufinteressenten für seine Anlage zu vermuten. Genauso geschieht es. Schon eine Viertelminute später tritt der Mann nach vorne an den Rand der Anlage und läßt einen Personenzug und einen Güterzug gegenläufig zwei weite Schienenovale umfahren. Es ist ein starkes Bild, den Mann dicht neben mehreren Stapeln frisch gereinigter Hemden (links am Rand der Anlage) und mehreren Stapeln ebenfalls frisch gereinigter Kittel und Blusen (rechts der Anlage) stehen zu sehen und ihm dabei zuzuschauen, wie er bittend hofft, daß ich seinen schäbig gewordenen Kindertraum kaufe. Mir entgeht nicht, daß meine müde gewordene Ratlosigkeit in die Anlage und sogar in ihren Besitzer einfließt. Mein Frauenproblem springt auf eine der beiden Loks auf und läßt sich jetzt lustig im Oval herumfahren. Mein gequältes Ich spürt eine gewisse Erleichterung. Eine auf einer Lok und noch dazu in einem Schaufenster herumgefahrene Melancholie ist eben gleich etwas Appetitliches. Vermutlich springt irgendein Problem des Besitzers auf die andere Lok auf, und schon fahren zwei wahrscheinlich sehr verschiedene Männerwunden durch den Mief einer chemischen Reinigung und dürfen dabei momentweise vergessen, wie schwierig sie sind. Gleichzeitig wird mir der Mann hinter der Scheibe zunehmend unangenehm. Ich sehe seinem Gesicht an, wie sehr sich seine Vorstellung verfestigt, daß ich gleich seinen Laden betrete und die Anlage kaufe. Oder er kommt womöglich selbst auf die Straße heraus und bittet mich in sein Geschäft. Ich müßte ihm dann mühsam auseinandersetzen, daß die entlastende Wirkung der elektrischen Eisenbahn, wenn die Anlage erst einmal in meiner Wohnung steht, sofort verschwindet. Das würde der Mann vermutlich nicht begreifen. Schon seinem fürchterlichen Pullover sehe ich an, daß er denkt, eine elektrische Eisenbahn ist nichts weiter als eine elektrische Eisenbahn. In ein paar unbeobachteten Augenblicken (der Besitzer geht zur Theke zurück, weil er das Telefon abnehmen muß) bin ich verschwunden. Ich bedaure, daß ich die Entdeckung meines Verschwindens auf dem Gesicht des Mannes nicht beobachten kann. Von hier aus ist es nicht weit bis zu meiner Wohnung. Ich gehe in mein Arbeitszimmer und stelle das Weinglas ab. Undeutlich fühle ich, daß ich mich an diesem Nachmittag selbst erniedrigt habe. Ich kämpfe gegen dieses Gefühl an, indem ich am Telefon sowohl das Herbstseminar bei der Evangelischen Akademie als auch den Vortrag bei der Polizeifachschule zusage. Obwohl sie beide nicht da sind, kann ich Sandra und Judith in meiner Wohnung umhergehen sehen; dadurch weicht meine Angst zurück, ich könnte sie verlieren. Endlich, in der Stille meines Arbeitszimmers, erkenne ich die Macht meiner alten Sehnsucht, die nicht teilen will.

10

Trotz meiner anfänglichen Vernachlässigung haben sich Sandras Blumen in den letzten Tagen wieder gut erholt. Am Mittwoch und Donnerstag war ich sogar zweimal zum Blumengießen in Sandras Wohnung und habe damit ein weitgehendes Wiederaufblühen erreicht. Nur ein kleines rotes Blütenbüschel, dessen Name ich nicht kenne, ist krumm und hutzlig geblieben, ich werde es durch ein neues ersetzen müssen. Es ist ein ruhiger Samstagvormittag. Frauen gehen einkaufen, Rentner tragen leere Flaschen zum Container, Junggesellen bringen ihre schmutzige Wäsche in die Reinigung, eine Katze liegt auf einem Autodach und schläft. Ich verlasse die Wohnung und hole Judith vom Flughafen ab. Am Abend wird Morgenthalers Party stattfinden. Ich überlege, ob ich Judith mitnehmen soll, vermutlich wird sie keine Lust haben. Das Gewimmel in den Hallen des Flughafens erschreckt mich. Ich habe mir wieder einmal nicht klargemacht, daß es immer gleich Tausende sind, die gleichzeitig ankommen und gleichzeitig wegfliegen. Die Mallorca-Rückkehrer werden heute in Halle C, Schalter 11, 12 und 13, erwartet. Ein junger Angestellter geht umher und zieht sich Gummihandschuhe an, bevor er die Müllbehälter leert. Ich setze mich auf eine der auch hier neu aufgestellten Ekelstahlbänke und warte. Warum sind Lautsprecherdurchsagen in Flughäfen fast immer gut verständlich und in Bahnhöfen fast immer kaum verständlich? Eine heruntergekommene Asiatin, vermutlich eine Vietnamesin, irrt in der Halle umher. Sie hat eine viel zu schwere Kleidertasche und ein Kind bei sich. Das Kind entfernt sich immer wieder so weit von der Mutter, daß die Verbindung zu ihr abzureißen scheint. Trotz dieser Drohung dreht sich die Mutter nicht nach dem Kind um. Ich frage mich, wann dem Kind auffallen wird, daß die Mutter es verlieren möchte. Oder hat das Kind die Mutter schon durchahnt, und es probiert seinerseits, ob es auch ohne Mutter zurechtkommt? Da entdecke ich Judith inmitten eines großen Pulks von heimkehrenden Urlaubern. Sie ist braungebrannt, ihr Haar ist offen, sie sieht glänzend aus. Wenig später liegen wir uns in den Armen. Das Hotel war gut, das Essen und der Strand ebenfalls, sagt sie und lacht. Und die Leute? frage ich. Du weißt ja, sagt Judith, es laufen dort viele Frauen mit Schminkkoffern und Männer mit Halskettchen herum. Ich habe fast den ganzen Tag im Liegestuhl verbracht, im übrigen Bedienung von morgens bis abends.

In der S-Bahn erzählt sie mir eine Geschichte, die sie nicht losgelassen hat: Einer der schwarzen Hotelboys hat ihr einen Zettel zugesteckt, auf dem stand, daß er gerne als ihr Diener mit nach Deutschland kommen würde.

Stell dir das einmal vor!

Kann ich nicht, sage ich.

Der Junge war höchstens fünfzehn, sagt Judith, er hat mich jeden Tag angeschaut und auf meine Entscheidung gewartet.

Und? Hast du ihm gesagt, daß du in deiner Zwölf-Zimmer-Villa schon drei Diener hast?

So ähnlich, sagt Judith.

Im Ernst?

Ich wollte nicht, sagt Judith, daß er glaubte, ich hätte etwas gegen ihn als Person. Ich wollte auch nicht sagen, daß ich keinen Platz und kein Geld habe, das hätte er mir nicht geglaubt. Europäer sind für ihn Menschen aus einem Märchenland. Als ich ihm dann sagte, daß ich bereits einen Diener habe, nahm er seinen Zettel und steckte ihn einer anderen Frau zu.

Dann hat er dich vergessen?

Ich hoffe.

Bei ihr in der Wohnung vertiefe ich mich in die kleinen, dennoch molligen Brüste von Judith und empfinde dabei genausoviel Glück wie Dankbarkeit. Obwohl ich mich seit Tagen auf diese Stunde freue, werde ich wenig später das Opfer einer Beinahe-Impotenz. Es dauert, bis ich soweit bin, und ich bin ungeschickt, weil ich vor Ratlosigkeit halb gelähmt bin. Erst durch die Bewegung in Judiths Geschlecht gewinnt mein eigenes Geschlecht Fahrt und Stärke, aber das Warten darauf war enthüllend und demütigend. Auch das Überwältigungsgefühl beim Samenabgang ist nicht so stark wie früher. Ich kann nicht feststellen, ob Judith meine Verlegenheit bemerkt oder übergeht. Ich liege in einem Berg von Kissen und kann verschleiern, daß mir Panikschweiß ausbricht. Nach einer Weile frage ich Judith, ob sie heute abend mitgeht zu Morgenthalers Party. Ach, Morgenthaler, die alte Mehlmotte, sagt sie nur. Wir lachen. Ich grüble, was geschehen soll, wenn ich künftig immer öfter nur noch eine Wackelsexualität zustande bringe. Judith berichtet von jungen Touristinnen mit einer tätowierten Rose auf der linken oder rechten Pobacke. Das hat es vor drei Jahren noch nicht gegeben, sagt Judith. Bis kurz vor neun Uhr bleiben wir im Bett. Im Grunde will auch ich nicht zu Morgenthaler, aber ich habe zugesagt.

Im Prinzip weiß ich schon lange nicht mehr, wie man ohne Hilfsmittel (Theater, Kino, Seminar) eine halbe Nacht mit weitgehend belanglosen Menschen zubringen soll. Ich bin ohnehin immer öfter darüber erstaunt, daß meine Bekannten meine Bekannten sind. In Kürze werde ich sie wiedersehen.

Ich erschrecke, als ich dreißig Minuten später unter Morgenthalers Gästen auch Bettina erblicke. Wie immer hat sie erheblich mehr Lebensdrang als Lebensfreude. Ich erinnere mich an ihre schönen Sommersprossen auf beiden Schultern. Frau Dr. Pfister, die Staubforscherin, ist auch da und winkt mir zu. Panik-Berater Dr. Ostwald sitzt in der Küche und trinkt Bier. Eine mir zum Glück unbekannte Frau redet viele Leute mit Schatzl an und wirft Flugküsse in die Räume. Morgenthaler hat in allen drei Zimmern die Möbel zusammengeschoben, so daß in der Mitte kleine Tanzflächen entstanden sind. Bisher wird nur im kleinen Fernsehzimmer getanzt. Ich sehe Bettina an, daß irgend etwas mit ihr nicht stimmt. Sie ist unruhig und sucht etwas zu deutlich den Kontakt zu mir. Dr. Blaul sagt zum Panik-Berater: »Es gehört nicht viel dazu, sich vor der ganzen Welt zu ekeln.« Vorhin, bei der Begrüßung, gab mit Bettina die Hand und ließ sie nicht frei, sondern bog die Hand zu sich hin. Plötzlich ging ihr auf, daß sie sich die Hand gegen die Brust drückte, dann lachte sie übertrieben und gab die Hand frei. Ich überlege, ob ich den Ekelreferenten auf die neue Hähnchenbraterei und auf die Ekelstahlbänke vor dem Gesundheitsamt und auf dem Flughafen aufmerksam machen soll. Ohnehin will ich Dr. Blaul schon länger fragen, wieviel neue Ekelquellen im öffentlichen Raum eigentlich erlaubt sind. Gibt es eine Verordnung über die zulässige Ekeldichte? Morgenthaler sagt, daß die meisten Empörten nicht gegen etwas Äußerliches, sondern gegen etwas Innerliches empört seien: gegen das Gefühl ihres Unpassendseins. Dieses Gefühl ruft Empörung hervor, sagt Morgenthaler, oft lebenslang. Das Problem ist, doziert er, daß die Panik dieser Leute kein Feindbild hat. Die Menschen wissen nicht, gegen wen oder was sie empört sind. Die Feindverlassenheit führt zu einem cholerischen Charakterbild beziehungsweise zu einem hilflosen Ressentiment. Die Partygäste stimmen Morgenthaler lebhaft zu. Ich höre, wie jemand mit den Zähnen an sein Bierglas anstößt. Ich vermeide, Platz zu nehmen, weil ich fürchte, Bettina wird sich zu mir setzen und mir eine Geschichte erzählen, die ich nicht hören will. Einem älteren Mann fällt das Handy in die Toilette. Er fischt das Ding wieder heraus und fönt es trocken, aber es funktioniert nicht mehr. Aus einem Zimmer tönt Blues-Musik, die mich an die Zeit erinnert, als ich Bettina kennenlernte. Sie war damals die Freundin eines Privatdozenten, der sie eines Abends etwas zu lange an einer Theke stehenließ, während er über Wittgensteins Privatsprachen-Argument redete. Ich stellte mich neben Bettina, unterhielt mich mit ihr und nahm sie dann mit nach Hause. Der Privatdozent hat erst zwei Tage später bemerkt, daß ihm Bettina abhanden gekommen war, was ihm jedoch nicht viel ausmachte, weil er mit Wittgensteins Privatsprachen-Argument eine andere Frau für sich hatte einnehmen können. Einige Jahre lang war es mir angenehm, daß sich Bettina um alles Geschlechtliche kümmerte. Wenn wir zusammen geschlafen hatten, lagerte sie sich zwischen meine Beine und nahm mein Geschlecht erneut in den Mund. Mit geschlossenen Augen lag sie da, ich kraulte ihr den Hinterkopf, oft schliefen wir dabei ein.

Morgenthaler spricht über das plötzliche Ableben seiner Mutter. Es ist das Wort Ableben, das meinen inneren Text unterbricht. Wie wohltuend es ist, von einem selten gewordenen Wort in einen kurzen Stillstand versetzt zu werden! Leider hält die Besinnung nicht lange an. Es müßte mir möglich sein, das Fest jetzt schon zu verlassen, mich zu Hause auf meinen Balkon zu legen und in den Nachthimmel zu schauen. Aber leider würde ich dabei einschlafen, nach kurzer Zeit zu schnarchen anfangen und die mir unangenehme Aufmerksamkeit meiner Nachbarn erregen. Statt dessen beschleicht mich das Gefühl, daß alles, was lebt, nicht wahr ist, radikal alles ist radikal unwahr. Wir alle leben in der Apokalypse einer nicht möglichen Wahrheit. In allen Büros, Wohnungen, Theatern, Kinos, Schulen, Universitäten und Kantinen werden Teilstücke einer umfassenden Unwahrheit hervorgebracht, die niemand ausdrücken kann, auch ich nicht. Ich schaue umher und hoffe, irgendwer (außer Bettina) wird mich aus meiner inneren Verschraubung erlösen. Bettina tanzt mit einem älteren Mann, offenbar bin ich aus der Schußlinie. Der Postfeind kommt auf mich zu, er ist gut gelaunt, er fragt, ob er mir ein Glas Wein bringen darf, ich bin erstaunt und lasse mir gern ein Glas Wein bringen. Dabei ahne ich schon, was er dafür haben möchte: daß ich ihn morgen oder übermorgen auf die Post begleite, was ich ablehnen werde. Von Morgenthaler weiß ich, daß der Postfeind inzwischen dazu übergegangen ist, in einzelnen Postämtern zu klauen. Auf andere Weise läßt sich sein Affekt gegen die Post nicht mehr bearbeiten. Er klaut Klebebandrollen, Briefumschläge, Kordel, Büroklammern, Scheren. Ein Detektiv wird ihn demnächst am Ärmel packen, ihn beiseite führen und ihm Hausverbot auf allen

Postämtern erteilen. Wenn man ihn danach noch einmal beim Klauen erwischt, wird man die Polizei verständigen. Jetzt aber kommt der Postfeind mit einem frischen Glas Weißwein auf mich zu.

Stellen Sie sich vor, sagt er und übergibt mir das Weinglas, ich habe ein unübertreffliches Kafka-Zitat gefunden; wollen Sie es hören?

Nur zu, sage ich.

Kafka hat in seinem Tagebuch, sagt Herr Bausback, die Post ein *Amt ohne Ehrgeiz* genannt!

Der Postfeind lacht und krümmt dabei seinen begeisterten Oberkörper nach vorne.

Wie finden Sie das?! ruft Bausback zweimal; kürzer und schärfer kann man es nicht sagen, oder?

Absolut, sage ich.

Das Zitat wird die Post fertigmachen, sagt der Postfeind lachend.

Unbedingt, sage ich.

Nach diesem Faustschlag von Kafka ist die Post endgültig erledigt, ruft Bausback aus.

Ein Faustschlag von Kafka! Ich drehe mein Gesicht weg, damit Bausback mein mühsam unterdrücktes Lachen nicht bemerkt. Dabei hat sich Bausback schon selber von mir abgewandt, um der Staubforscherin zu sagen, was Kafka über die Post gedacht hat.

Ich schaue mir die Frauen an und überlege, ob ich die eine oder andere zum Tanzen auffordern soll. Bettina tanzt immer noch mit dem älteren Mann. Dabei weiß ich, daß Bettina mit älteren Männern nicht wirklich etwas anfangen kann, mich selbst eingeschlossen. Mit mir macht sie nur deshalb eine Ausnahme, weil sie das in mir abgelagerte Wissen von unserer einstigen Vertrautheit noch immer schätzt. Ich frage mich, ob Bettina möchte, daß am Ende des Abends jeder von ihrer Schwermut weiß, oder eher nicht. Ihre momentane Aufgedrehtheit deutet darauf hin, daß sie ihre Melancholie vorerst geheimhalten möchte.

Morgenthaler steuert erneut auf mich zu. Die meisten meiner Besucher sind Zivilisationsempörte, sagt er; sie beklagen sich über zuviel Lärm, über schlechte Luft, schlechtes Essen und zu viele Allergien! Die meisten Empörungen dieser Art kann ich mit einfachen kommunikativen Akten erledigen; ich telefoniere mit XY oder schicke ein Fax an YZ, und die Sache erledigt sich!

Es gelingt mir, mich der Staubforscherin Dr. Pfister zuzuwenden, die einer älteren Frau gerade rät, in Zukunft keinen Körperpuder mehr zu verwenden.

Warum nicht?

Weil sich der Puder nach einiger Zeit in Körperstaub verwandelt! sagt Frau Dr. Pfister.

Was? ruft die andere Frau aus.

Ich schalte mich ein und sage: Ich hatte kürzlich sogar das Gefühl, daß sich meine Empfindungen in Staub verwandeln.

Sehr interessant! sagt Frau Dr. Pfister; wobei ist dieses Gefühl entstanden?

Ich stand vor einer Schaufensterscheibe und habe dabei zugeschaut, wie eine elektrische Eisenbahn im Kreis herumfuhr, sage ich.

Ach! macht Frau Dr. Pfister, das müssen Sie mir genauer erklären!

Ich erkläre die Verwandlung, so gut ich kann, und betrachte dabei erneut Bettina, die jetzt einen jüngeren Tanzpartner hat. Sie redet unablässig auf ihn ein, kein gutes Zeichen. Mir fällt eine ihrer Ideen ein, die sie vor fünfundzwanzig Jahren hatte: Beischlaf-Häuschen in der Stadt. An belebten Knotenpunkten sollten kleine Beischlaf-Häuschen aufgestellt werden für Paare, die ein körperliches Bedürfnis nicht aufschieben wollen. Ich lachte damals über diese absurde und doch lebensnahe Idee, aber eine Nacht später hatte ich einen Traum, der mich erstmals vor Bettina warnte. Ich lag mit ihr in unserem Ehebett, ich war, wie so oft, in ihr Geschlecht vertieft, das im Traum ein wenig zu groß und zu fest geworden war, was mich schon während des Traums störte, ohne daß ich hätte sagen oder denken können, *was* das Störende war. Ich wunderte mich, wie genau die leichte Vorwölbung von Bettinas Geschlecht in meinen Mundinnenraum hineinpaßte, und daß es mir nicht gelang, den Mund zu schließen, auch nicht für Augenblicke. Einmal schlug ich die Augen auf und sah, daß es nicht Bettinas Geschlecht war, was mir den Mund füllte, sondern eine harte, porzellanweiße Schnabeltasse. Ich war auch nicht mit Bettina im Bett, sondern ich lag allein im Krankenhaus, in der Abteilung Verbeißungen, Ärzte standen um mich herum und schauten mich ratlos an.

Jetzt kommt Bettina auf mich zu, wir tanzen miteinander, wie wir immer miteinander getanzt haben, das heißt, wir drücken die Vorderseiten unserer Körper dicht gegeneinander und machen nur kleine Schritte. Ich möchte fragen, warum sie nicht mit ihrem Freund da ist, den sie doch in Kürze heiraten will, aber ich verkneife mir die Neugierde. Bettina schlägt die Arme um meinen Hals, ich umfasse ihre Hüfte und schiebe meine rechte Hand unter ihren Pullover. Dann macht Bettina ein Geständnis: Ihr Freund hat sie verlassen. Sie sagt es kühl und spröde und kommentiert die Nachricht nicht. Wie lange hast du ihn gekannt? frage ich. Drei Jahre, sagt Bettina. Hat er einen Grund genannt, warum er sich zurückzieht? Nein, sagt Bettina. Es ist angenehm, mit Bettina zu tanzen, wir bewegen uns jetzt wie Geschwister, Geschwister des Scheiterns, die wir einmal waren oder vielleicht immer noch sind. Mir fällt ein, daß auch ich damals drei Jahre gebraucht habe, ehe unser (wie soll ich sagen) zu dichtes körperliches Glück langsam in sein Gegenteil umschlug. Nur mit Widerstand erinnere ich mich, daß ich mich damals gegen meinen Willen von Bettina zurückzog, als ich mit ihrer Sekretion nicht mehr fertig wurde. An diesem Punkt scheint auch Bettinas Freund gescheitert zu sein, ohne es Bettina sagen zu können, genausowenig wie ich damals. Ich kann (könnte) den Grund auch heute nicht aussprechen, im Gegenteil, er ist in die Geheimgeschichte unserer beider Scham eingewandert und läßt nicht die kleinste Verständigung über sich zu. Erneut lähmt mich die Entdeckung, daß der Kern der Intimität dem Menschen (vielleicht) feindlich gesonnen ist. Ich bin jemand, der Bettinas Körper und also auch die Gründe kennt, warum man schließlich vor diesem flieht, und ich bin jemand, der diese Gründe geheimhalten muß, weil andernfalls die Scham ins Unermeßliche wachsen müßte. Denn wenn die wahren Dimensionen der Scham bekannt würden, müßte sich die Menschenwelt in ein Hospital der Nachsicht verwandeln, wozu ihr jegliche Fähigkeit abgeht. Der Blues ist zu Ende, wir lösen uns schweigend, Bettina sucht ihr Glas, plötzlich stehe ich allein da und habe nichts dagegen.

Ein Satz des Panik-Beraters Dr. Ostwald dringt zu mir herüber: Weil die Probleme der Menschen nicht gelöst werden können, müssen sich die Menschen von ihren Problemen abwenden wie von schlechten Gewohnheiten.

Ich halte den Satz für unsinnig/unausgegoren/töricht, aber er zieht mich auch an. Mit einem Auge sehe ich, daß Bettina erneut mit dem jungen Mann von vorhin die Tanzfläche betritt. Ich wende mich dem Panik-Berater zu, der mit Herrn Mannschott, dem Alkohol-Sekretär der Turbinenfabrik Schnellinger, über Fremdheit und Alkohol redet. Mannschott behauptet, die Leute trinken so lange, bis sie sich als Fremde fühlen. Nein, sagt Dr. Ostwald, die Leute fühlen sich schon vorher fremd, sie trinken so lange, bis sie sich als Fremde endlich bekannt vorkommen. Nein, sagt der Alkohol-Sekretär, die Fremdheit ist in jedem Falle resistent, die Leute trinken, damit ihnen die Empörung gegen die Fremdheit geläufig wird. Niemand kann sich daran gewöhnen, daß Empörung etwas Natürliches sein soll. Natürlich wäre nur ein nichtempörtes Leben, verstehen Sie?

Der Panik-Berater schweigt und überlegt und schaut mich dabei an. Der Alkohol-Sekretär geht in die Küche und holt sich eine neue Flasche Bier. Ich betrachte die wild tanzende Bettina. Sie hüpft und springt über die Einsamkeitsklippen. Es ist möglich, daß ihr Bewegungsdrang aus reiner Verzweiflung hervorgeht. Bettina ist jetzt neunundvierzig. In diesem Alter sollte ein Mensch nicht mehr so fundamental erschüttert werden. Immer wieder überrascht mich das Gefühl, Bettina könnte sich etwas antun. Der neue Liebesverlust ist vielleicht zuviel für sie. Übrigbleiben ist noch schlimmer als Verlassenwerden. Ich wundere mich, wie einfühlsam ich über Bettina denke.

Da sagt der Panik-Berater zu mir: Sie sind Ihr Problem auch noch nicht losgeworden, oder?

Wie sollte ich, antworte ich vorsichtig.

Darf ich Ihnen einen Rat geben?

Kostenlos?

Der Panik-Berater lacht.

Gebühren entstehen erst bei mir in der Praxis, sagt er.

Dann reden wir lieber hier, sage ich.

Sie wollen doch weder die eine noch die andere Frau opfern, stimmts?

Ganz recht, sage ich.

Wenn Sie das eingesehen haben, sollten Sie es aufgeben, Ihr Problem dennoch lösen zu wollen.

Und was soll ich statt dessen tun?

Ich könnte Ihnen helfen, Ihre Unruhe zu zerstreuen.

Und wie?

Ich könnte Ihnen ein paar Vorschläge machen. Es handelt sich um ein mehrstufiges Projekt. Sie können sich ja mal anhören, was ich auf Lager habe. Die erste Stunde ist gebührenfrei.

Na gut, sage ich, ich komme nächste Woche vorbei.

Der Panik-Berater deutet eine knappe Verbeugung vor mir an und verschwindet im Gewühl der Tanzenden. Es ärgert mich, daß er auf Klientenebene mit mir gesprochen hat und daß ich ihm brav geantwortet habe. Es ist 23.00 Uhr, Morgenthalers Fest ist auf seinem Höhepunkt. In allen drei Zimmern dröhnen die Geräte, sogar auf dem Flur wird getanzt. Ich ziehe meine Jacke an und gehe. Dr. Ostwald, die denkende Heuschrecke, höhne ich auf der Straße. Leider habe ich Magenschmerzen. Ich sehe eine Frau mit einem kleinen Kind auf dem Arm, die in raschem Tempo eine Straße überquert. Ich höre ihren gehetzten Atem, offenkundig ist sie auf der Flucht. Da erscheint ein Mann, der sie verfolgt. Die Frau drosselt ihr

Tempo und blickt ihrem Verfolger entgegen. Mein Auftauchen kommt ihr wie eine Art Schutz vor. Sie schreit dem Mann entgegen: Ich hasse dich! Ich möchte gegen deine Tür spucken! Ich gehe langsamer und warte, bis die Frau in einer Seitenstraße verschwunden ist. Der Mann gibt seine Verfolgung auf und geht an mir vorbei. Ich will auf keinen Fall ein tragischer Mensch werden, denke ich. Ich betrete ein abgehalftertes Bistro und bestelle ein kaltes Cola gegen meine Magenschmerzen. Hinter mir sagt eine Frau zu einem Mann: Auch als Bratwurstverkäuferin mußt du heutzutage Englisch sprechen können. Der Mann hinter der Theke starrt mich an. Wenn ich zur falschen Zeit angeschaut werde, möchte ich sofort Indianer werden oder wenigstens meinen Namen verlieren. Draußen auf der Straße liegt eine plattgefahrene Taube. Jedesmal, wenn wieder ein Auto kommt, möchte ich die Augen schließen. Statt dessen schaue ich jedesmal wieder hin. Meine Magenschmerzen lassen nach, ich rutsche in eine dankbare Stimmung. Der Mann, der die Frau mit dem Kind verfolgt hat, betritt das Bistro und bestellt ein Bier. Rasch wird die tote Taube ein Teil des Straßenbelags. Ich will mich ein bißchen empören, aber ich bin zu müde für eine Empörung. Aus dem Verfolger ist jetzt ein Biertrinker geworden. Ich will durch die Grünanlage der Post gehen. Den Colarest nehme ich mit, unterwegs trinke ich immer mal wieder einen Schluck. Viele Männer treiben sich in der Grünanlage herum. Sie bieten Frauen, Drogen und Pornos an, ich will nichts davon. Obwohl es ringsum Häuser, Bars, Straßen und Autos gibt, habe ich das Gefühl, durch eine unbelebte Wildnis hindurchzugehen. Es erregt mich ein bißchen, daß hinter den Fenstern so vieles geschieht. Gern würde ich die Leute bitten, in ihre Zimmer hineinsehen zu dürfen. Mein Ziel ist die lange Mauer des Postamts, an der die Ratten entlanggehen, von denen mir der Postfeind erzählt hat. Es ist unklar, warum mir schon wieder Bettina einfällt. Oft stellte sie sich nachts auf den Balkon und fing an zu weinen. Ich saß in der Tiefe des Zimmers und war erschrocken. Bettina zwang mich, nach einer Weile zu ihr auf den Balkon hinauszukommen und sie zur Rückkehr ins Zimmer zu bewegen. Eine Weile reagierte sie nicht und weinte weiter in das Dunkel hinaus. Ich überlegte, welche unserer Nachbarn das Weinen hören würden und welche nicht. Erst als ich Bettina zuflüsterte, Frau Fehser (die über uns wohnte) steht längst auf ihrem Balkon und hört dein Weinen mit, kam sie zurück ins Zimmer. Schon nach einer knappen Minute sehe ich die ersten Ratten an der Mauer des Postamtes entlanghoppeln. Mir gefallen die putzigen Tiere, die außer mir niemand beachtet. Ich suche mir eine halbwegs passabel angeleuchtete Bank und betrachte die Geschäftigkeit der Ratten. Offenkundig sind sie auf Nahrungssuche. Obwohl sie mißtrauisch sind, kommen sie nahe an mich heran. Es fesselt mich, ihren lauernden Lebensstil zu betrachten. Am auffälligsten ist das Dauerzittern ihrer Schnauze. Meine Magenschmerzen sind verschwunden. Ich werfe meine Colabüchse in die Nähe der Tiere. Die Dose rollt einen halben Meter vor sich hin und bleibt dann liegen. Ein bißchen Cola fließt aus der Dosenöffnung heraus. Zwei Ratten nähern sich der Büchse und vergewissern sich, daß der vor ihnen liegende Gegenstand leblos ist. Auf Anhieb lecken sie das ausgeflossene Cola auf. Es ist, als hätten sie die Apokalypse schon hinter sich.

11

Seit Jahren sehe ich einen Frührentner, der mit einer langen Kneifzange in die Öffnungen der Glascontainer hineingreift und nach Flaschen sucht, die er als Pfandflaschen wieder verkaufen kann. Er ist ein einsamer, geringfügig verkommener Mann, der sich nicht (mehr) dafür interessiert, daß eine schräge Erscheinung aus ihm geworden ist und weiter wird (zu kleiner Hut, zu weite Hosen, zu ungepflegtes Haar). Das Sonderbare ist, daß ich den Mann neuerdings grüße. Ich stürze ihn in ein Grübeln darüber, warum er von einem Fremden, an dem er bisher anstandslos vorbeigekommen ist, plötzlich beachtet wird. Ich weiß es auch nicht, ich habe nur ein paar Spekulationen. Eine davon ist: Ich möchte auch jemand sein, der keine wichtigen Entscheidungen mehr zu treffen hat. In Kürze kommt Sandra zurück. Ihr Zug trifft um 17.02 Uhr ein, ich bin auf dem Weg zum Hauptbahnhof. Von Sandras Blumen hat sich nur eine einzige (ich weiß ihren Namen immer noch nicht) nicht wieder erholt. Ich habe überlegt, ob ich sie durch eine neue ersetzen soll, aber dann fand ich, daß *ein* verdorbener Blumenstock eine vertretbare Schwundquote ist. Auch eine ältere Frau grüße ich neuerdings. Ich habe einmal von ihr gehört, daß sie in ihrer Jugend Schauspielerin gewesen ist. Jetzt, im Sommer, läuft sie in einer Kittelschürze und Hausschuhen herum. In den Bäumen des Viertels siedeln sich Papageien an. Es sind kompakte, grüngefederte Vögel mit einem roten Strich über dem Kopf. Wenn sie schwarmweise einen Baum verlassen, bleiben die Leute auf der Straße stehen und rufen aus: Unglaublich! Unfaßbar! Unmöglich! Es muß ein Papageienschwarm her, damit die Leute das Leben sonderbar finden. Mir ist flau zumute. Ich fürchte mich davor, daß mich Sandra schon im Bahnhof fragen wird, ob ich es mir überlegt habe. Ihre Stimme wird ein bißchen angestrengt lustig klingen, weil sie meine bisherige Zurückhaltung für ein lächerliches Theater hält, das mit meiner Entscheidung aus der Welt verschwunden sein wird. In Wahrheit kann ich Sandras Angebot nicht einmal erwähnen. Ich muß hoffen, daß sie es nicht ganz ernst gemeint und vielleicht vergessen hat. Ich sehe ein großes Geschäft, auf dessen Schaufenstern zweimal das Wort INSOLVENZVERKAUF aufgesprüht ist. Verkauft werden Gartenleuchten, Gummischuhe, Espressomaschinen, Motorradhelme, Alustühle, Hochdruckreiniger, Staubsauger. Ich wundere mich, daß auch stark reduzierte Preise die Waren nicht begehrlicher machen. Im Gegenteil, es hebt die Stimmung, an immer schwerer verkäuflichen Gegenständen vorüberzugehen. Sogar meine Flauheit läßt nach, weil ich sie an überflüssigen Gummischuhen und Espressomaschinen vorbeiführe.

Der Intercity gleitet pünktlich in die Bahnhofshalle. Sandra steigt als eine der ersten Fahrgäste aus. Sie stellt ihren Koffer ab, damit sie mich besser umarmen kann. Offenbar hat sie es eilig. Ich bin froh, daß ich wieder hier bin, sagt sie. Mir fällt keine Begrüßungsformel ein, die gleichzeitig frisch, schlicht und unpathetisch ist. Ich muß sofort etwas essen und ein Glas Sekt trinken, sagt Sandra, mein Blutzuckerspiegel ist ganz unten. Ich nehme ihren

Koffer und sage: In der Bahnhofsstraße gibt es eine große Bar. Gut, sagt Sandra und hängt sich bei mir ein. Langsam und stöhnend geht sie neben mir her. Die Bar ist laut und überfüllt. An allen Wänden stehen und hängen Fernsehapparate, Musikautomaten und Spielgeräte. Bestellst du für mich ein Baguette und ein Glas Prosecco, sagt Sandra, ich muß sofort aufs Klo. Es gibt nur einen einzigen Kellner, der mit aufgerecktem Kinn und zusammengezogenen Schultern gegen die Überfüllung kämpft. Ich stehe genau unter einem Fernsehapparat, in dem ein Boxkampf läuft. Ich betrachte die Leute, die knapp über mich hinweg in den Fernsehapparat schauen. Sandra kommt zurück. Hast du schon bestellt? fragt sie. Der Kellner hat uns noch nicht einmal bemerkt, sage ich. Oh Gott, macht Sandra, ich falle gleich um. Sollen wir nicht doch wieder gehen? frage ich. Ich bin zu schwach, sagt Sandra. Dann schimpft sie über ihre Schwester. Ich hätte es keinen Tag länger bei ihr ausgehalten. Sie ist ganz eigentümlich geworden, genau wie unsere Mutter. Ich war total verblüfft. Immer wieder habe ich sie angestarrt und gedacht: Da sitzt unsere schreckliche Mutter, ich muß sofort den Raum verlassen. Sogar ihre Angewohnheiten hat sie übernommen. Zum Beispiel legt sie mehrere Tischdecken übereinander auf den Tisch. Man kann kein Glas mehr abstellen, weil die Oberfläche durch die vielen Tischdecken zu weich ist. Ich habe zu ihr gesagt: Diese vielen Tischdecken haben wir doch schon bei unserer Mutter zu Hause nicht verstanden, warum machst du das jetzt nach?

Ich bin etwas verwirrt, fühle mich aber besser als noch vor einer halben Stunde. Sandra redet, als hätte sie ihren Heiratsantrag vergessen. Der Kellner nähert sich uns, aber es ist nicht sicher, ob er uns auch bedienen wird. Es ist überhaupt kein Wunder, daß meiner Schwester der Mann weggelaufen ist, sagt Sandra. Der Kellner streift am Tisch nebenan ein Glas Wein, das Glas fällt um, der Wein ergießt sich über meine Hose. Der Kellner entschuldigt sich und geht weiter. Sandra zieht die Nase hoch und sagt: Meine Schwester kann den Geruch ihrer eigenen Kacke nicht ertragen! Wenn sie auf dem Klo sitzt, spült sie ununterbrochen in kurzen Abständen, weil sie das kleinste bißchen Geruch nicht aushält! Aber sie rennt alle vierzehn Tage in die Disco! Mit sechsunddreißig! Einmal war ich dabei, es war fürchterlich, mein Gott, wie sonderbar ist das alles, sagt Sandra.

Der Alkohol in meiner Hose trocknet ein, wir lachen. Der Kellner erscheint mit einem gemischten Salat und sucht den Gast, der ihn bestellt hat. Geben Sie mir den Salat, sagt Sandra. Der Kellner gehorcht und entschuldigt erneut sein Mißgeschick, bezahlen müssen wir den Salat nicht. Bringen Sie mir sofort ein Glas Sekt, sagt Sandra, dann ist alles wieder gut. Wird gemacht, sagt der Kellner. Diesmal hält er sein Versprechen. Zwei Minuten später bringt er zwei Gläser Prosecco. Sandra macht sich über den Salat her und trinkt ihr Glas leer. Der Boxkampf im Fernsehgerät über uns endet mit einem K.o. Das Publikum im Gerät bricht in Jubel und Geschrei aus, die Zuschauer im Lokal wenden sich nur stumm ab. Mit den Leuten geschieht nichts, sie sehen aus wie von gestern übriggeblieben. Sandra vertilgt den Salat und greift nach zwei Scheiben Brot, die am Nebentisch übriggeblieben sind. Soll ich deine Hose bei mir in die Waschmaschine stecken? fragt Sandra. Das ist nicht nötig, antworte ich, es sind nur ein paar kleine Flecken übriggeblieben. Sandra lacht. Es geht mir wieder besser, Gott sei Dank, sagt sie.

Du kannst meinen Prosecco auch haben, willst du? Die Hälfte, sagt Sandra und nimmt mein Glas. Bleibst du heute nacht bei mir? fragt sie. Willst du? Ja, sagt sie. Sandra schiebt die leere Salatschüssel zurück. Wir stehen auf und gehen. An der Theke lehnt ein dicker Mann, auf dessen Jacke die Worte ATHLETIC DEPARTMENT aufgenäht sind. Es ist nicht komisch, es sieht nur so aus. Unterwegs kaufen wir eine Flasche Bordeaux, ein paar Oliven, etwas Käse, eine kleine Salami, ein halbes Pfund Butter, ein Brot. In der Nähe des Flußufers bleibt Sandra stehen, damit sie den Sonnenuntergang besser anschauen kann. Das Licht bricht brockenartig, wie heruntergewürfelt, zwischen den Wolken hervor und stürzt hinab in die Straßenschluchten; es färbt den Fluß grün, die Brücke dunkelblau und die Häuser sandgelb. Ich denke an Sandras wunderbare Kniekehlen und an Judiths ebenso wunderbare Hinternfalte, ich kann weder auf das eine noch auf das andere verzichten. Auch ich werde, wie alle anderen, sehenden Auges auf eine Katastrophe zugehen, etwas anderes ist dem Menschen nicht möglich. Sandra seufzt und faßt mich an. Wenig später, bei ihr in der Wohnung, lobt Sandra meine fürsorgerische Tätigkeit für die Blumen. Sie steckt meine alkoholisierte Hose jetzt doch in die Waschmaschine. Ich laufe in Unterwäsche und Socken umher und schalte den Fernsehapparat an. Im Zweiten Programm läuft eine Schlagerparade. Noch lieber als alternde Nachrichtensprecher sehe ich alternde Schlagersänger. Der weißhaarige Roger Whittaker tritt singend von links ins Bild. Er schaut auf die Showtreppe herunter, damit er nicht stolpert, und singt dabei: Wir sind jung, für immer jung. Ich sehe und höre, wie er seine vernutzte Stimme, sein vernutztes Gesicht und sein vernutztes Lächeln noch einmal und noch einmal einsetzt. Ich bewundere ihn ein bißchen, weil er seinen Untergang hingenommen hat, vielleicht ohne es zu wissen. Zwischendurch schaue ich Sandra dabei zu, wie sie ihren Koffer auspackt und dies und das mit in die Waschmaschine steckt. Ich freue mich, sagt sie, daß ich nächste Woche wieder zum Malkurs gehe. Ich reiche ihr ein Glas Rotwein. Noch einmal beschimpft sie ihre Schwester. Gegen halb zehn gehen wir ins Bett. Das Wiedersehen mit Sandras gemütlicher Unterwäsche amüsiert mich, was ich mir nicht anmerken lasse. Ich umarme sie und ziehe sie im Halbdunkel an mich heran und fremdle dabei ein bißchen. Die unendliche sexuelle Wiederholung treibt in mir eine gewisse Onkelhaftigkeit hervor, die ich nicht an mir mag und die ich trotzdem beobachten muß. Ein bißchen komme ich mir vor wie ein alternder Schlagersänger: Ich sehe und höre meine Klischees und kann ihnen nicht entkommen. Redselig liege ich in Sandras Bett, fasse ihr unter das Nachthemd und werde still und heimlich von meiner eigenen Reproduktion erschlagen. Weil ich bereits liege, kann niemand sehen, wie ich langsam umsinke. Sandra bemerkt meine Gespaltenheit vermutlich nicht, was mir recht ist. Sandra möchte, daß alles, was geschieht, ihr seit langer Zeit vertraut ist. Die Übergeläufigkeit, die mir zu schaffen macht, ist für sie ein Zeichen höchster Seriosität. Deswegen stört sie sich auch nicht am Geräusch der Waschmaschine, das aus der Küche zu uns dringt. Ich stehe nicht auf und schließe nicht die Schlafzimmertür, um Sandra nicht auf die Idee zu bringen, es könnte irgend etwas geben, was mich beeinträchtigt. Statt dessen empfinde ich im Hin-und-her-Orgeln der Waschmaschinentrommel jetzt sogar eine kränkende Analogie zum Geräusch des Beischlafs, dem wir uns gleich hingeben werden. Ich sehe auf Sandra hinab, deren herausfordernde Nacktheit mich berührt. Wie so oft lähmt mich das Gefühl, ich sei der einzige, der von einer erträglicheren Wahrheit weiß. Leider ist niemand da, der meine Überempfindlichkeit bemerkt und lächerlich findet. Plötzlich (und zum ersten Mal) beglückt mich der Gedanke, nicht deine beiden Frauen und nicht die Sexualität sind das Problem, sondern allein die Narrheiten deines Kopfes. Das Schuldgefühl, das im Gefolge der Einsicht frei wird, macht mich wieder demütig und empfänglich. Dankbar vergrabe ich mein Gesicht zwischen Sandras Brüsten und lösche das Licht, damit niemand meine Schuld sehe.

Zwei Tage später, morgens um elf, habe ich die erste Therapiestunde bei Panik-Berater Dr. Ostwald. Er ist ein bißchen aufgedreht und redet zuviel, jedenfalls zunächst. Ich glaube kaum etwas von dem, was er sagt, ich halte ihn (wie mich) für eine dieser zweifelhaften Existenzen, die vom Reden leben können. Ich nicke zerstreut und beobachte ängstliche Rentner, die sich sogar an heißen Tagen warm anziehen. Es ergreift mich eine leichte Melancholie, weil ich den Sommer verschwinden sehe. Dieser Tage haben die Schwalben ihren langen Flug in den Süden angetreten. Von einem Tag auf den nächsten war ihr schönes Geschwirre einfach weg. Es ist Ende Juli, und ich fürchte mich schon jetzt vor dem Winter. Es wird wieder schneien, und der Schnee wird auf meinem Mantel, auf meinem Schal, auf meiner Mütze und sogar auf meinem Gesicht liegenbleiben, und ich werde wieder nicht wissen, ob der auf mir liegende Schnee mich beglückt oder erschreckt. Wir bleiben vor der Haustür eines sechsstöckigen Hauses stehen. Zu meiner Therapie gehört der Aufenthalt auf dem Dach dieses Hauses. Es ist ein Flachdach, man hat einen »extraordinären« (Dr. Ostwald) Rundblick über die Stadt bis hin zum Bergland. Bitte folgen Sie mir. Dr. Ostwald öffnet die Tür. Der Fahrstuhl bringt uns hoch in den fünften Stock, zum sechsten Stock, und von dort zur Dachluke führt eine Treppe. Dann stehen wir auf einem leicht windigen, von der Sonne angewärmten Dach von der Größe eines Spielplatzes. Um einen Kamin herum ist eine Sitzbank angelegt, auf der zwei Kissen liegen. Ganz offenkundig war Dr. Ostwald hier schon mit anderen Klienten, ich weiß nicht, ob mir diese Entdeckung Vertrauen einflößt oder nicht. Wir setzen uns, Dr. Ostwald redet immer noch, wenngleich nicht mehr soviel wie vorhin. Es kommt darauf an, die üblichen Gedanken zu verlieren beziehungsweise auf ganz andere Gedanken zu kommen, sagt der Panik-Berater und reicht mir sein Fernglas. Zunächst klappt überhaupt nichts. Mit dem Fernglas sehe ich auf die Terrasse eines Pflegeheims, wo zwei Männer in weißen Kitteln ein paar Rollstuhlpatienten zum Auslüften abstellen. Der Mund der Patienten steht offen, ihre Finger sind krallenartig aufgespreizt und vom Körper weggestreckt. Die Augen der Patienten sind geschlossen, die Körper reglos. Wenn ich mich nicht täusche, stoßen die armen Greise irgendwelche Laute aus, die niemand beachtet. Bin ich auf einen üblen Scherz hereingefallen? Ich lasse das Fernglas schweifen und entdecke ein paar kleinere Werkstätten und Fabriken jenseits des Flusses, dazu einige Auslieferungslager und Speditionen. Im Hof einer Matratzenfabrik stehen lange Sattelschlepper, die gerade mit Sofas und Ehebetten beladen werden. Im Garten einer Villa entdecke ich schwarze, frische Maulwurfshügel. Es sieht aus, als wüßten die Maulwürfe, daß ihre Hügel nur dann nicht zertrampelt werden, wenn sie sie am Rand des Gartens auswerfen. Nach einer Weile denke ich nichts mehr, ich begnüge mich mit Schauen, Ruhen, Atmen, Müdewerden. Wars das schon?

Suchen Sie sich irgendeinen Anblick oder einen Gegenstand, der auf besondere Weise zu Ihnen spricht, sagt Dr. Ostwald. Im übrigen haben Sie Zeit. Wenn Sie heute kein Glück haben, probieren wir es nächste oder übernächste Woche wieder. Sie sollten stets denken: Die größte Geduld gilt mir selber. Doch dann entdecke ich in einem großen Garten ein Kind, ein etwa achtjähriges Mädchen, das mit einer winzigen Schere den Rasen schneidet. Das Mädchen sitzt in der Hocke und nimmt sich Grashalm für Grashalm vor. Ich bin augenblicklich hingerissen. Jeden Grashalm schaut das Mädchen an und trägt ihn dann zu einem kleinen Häuflein von bereits geschnittenen Halmen. Dieses unglaubliche Vertrauen in die Zeit und in die eigene Unendlichkeit darin! Dieses Unbeschwertsein vom Übermaß der Aufgabe! Dieses unwissende Gottvertrauen! Ich sitze da und schwärme im stillen von einem Kind, von dem ich nur den gebeugten Rücken und das schmutzigblonde Haar sehe. Jedesmal schaue ich mit, wenn das Mädchen mit einem neugeschnittenen Halm zu dem Häuflein zurückrennt und dann wieder nach vorne zu seiner (wie soll ich sagen) Weltvertrauensstelle. Ich frage Dr. Ostwald, ob ich auch morgen oder übermorgen eine Dreiviertelstunde auf dem Dach verbringen kann. Jederzeit, sagt er, Sie müssen niemanden fragen, hier ist der Schlüssel für die Haustür und die Dachluke.

Er reicht mir den kleinen Schlüsselbund. Die erste Therapiestunde ist vorüber, wir verlassen das Dach. Unten, vor der Haustür, verabschieden wir uns. Sie rufen mich an wegen der nächsten Stunde? fragt Dr. Ostwald. Ja, sage ich und bin weg.

Ich überlege kurz, ob ich an dem Garten vorbeigehen soll, in dem das Mädchen Gras schneidet. Aber es liegt nichts daran, die Bilder aus der Nähe zu sehen. Es gibt kaum etwas Bewegenderes, als durch plötzliche Bewunderung in eine sanfte Untätigkeit hineinzugleiten. In dieser Untätigkeit laufe ich umher und setze mich in einer Grünanlage auf eine Bank. Auf einer kleinen Wiese spielen ein paar Jungens Fußball. Aus ihren Schulranzen haben sie die Markierungen ihrer Tore gemacht. Vermutlich schwänzen sie die Schule, meine Bewunderung gilt auch ihnen. Warum habe ich kaum die Schule geschwänzt? Als feststand, daß mich die Schule nicht interessierte und die Lehrer mich entweder lähmten oder quälten, hätte auch ich zum Fußballspielen übergehen sollen. Meine nachgiebige Mutter hätte mir bereitwillig die Entschuldigungen geschrieben. Aber ich ging Tag für Tag in die Schule, blickte meinen elenden Lehrern ins Auge und ließ mich von ihnen demütigen. Zum Schuleschwänzen war ich entweder zu ernst oder, noch schlimmer, zu phantasielos. Zwischen den abgeblühten Fliedersträuchen kommt Herr Bausback, der Postfeind, hervor. Wahrscheinlich lauert er Briefträgern auf, die er bei unberechtigten Frühstückspausen überraschen und fotografieren möchte. Obwohl es hier weit und breit keine Briefträger gibt, fuchtelt er mit seinem Fotoapparat herum und kommt auf mich zu.

Stellen Sie sich vor, sagt er, was ich heute morgen entdeckt habe!

Ich schaue ihn bloß an.

Ich habe eine Briefträgerin gesehen, die in ihrem Postwagen auch ihren Einkauf herumgefahren hat! Auf den

Briefen lag Käse, Brot, Butter und Obst! Ich habe deutlich gesehen, daß die Briefe dadurch fleckig wurden! Wie finden Sie das?!

Ich versuche, ihn zu beruhigen, es gelingt mir nicht. Ich erhebe mich und verlasse mit ihm die Grünanlage, vielleicht hilft ihm das; aber es hilft ihm nicht.

Es ist mir gelungen, die beschmutzten Briefe zu fotografieren, sagt er und ist ein bißchen erregt dabei.

Zum ersten Mal überlege ich, ob der Postfeind vielleicht verrückt geworden ist. Es fällt mir auf, daß ihn meine Sätze nicht mehr erreichen. Ich kann sagen, was ich will, er lebt in einer hart gewordenen Wahnwelt, die ich von außen nicht mehr durchstoßen kann. Am Friedensplatz hebt er den linken Arm und biegt in die Richard-Wagner-Straße ein. Gegen meine Gewohnheit hebe ich ebenfalls den Arm und winke Herrn Bausback nach. Es ist ein bißchen so, als würde ich mich endgültig von ihm verabschieden, was er nicht bemerkt. Auf dem Heimweg gestehe ich mir ein, daß es mich gleichgültig ließe, wenn der Postfeind demnächst in eine Anstalt eingeliefert würde. Es ist, als würden gewisse Teile der Welt vor mir in ein Flüstern verfallen, für das ich mich nicht mehr interessiere. Ja, es ist sogar so, als dürfte ich mir jetzt endlich eingestehen, daß mich dieses Flüstern nie interessiert hat. Aber warum quäle ich mich dann so sehr mit der Frage, mit welcher Frau ich zusammenleben möchte? Vermutlich will ich nur, daß mein Rückzug von wenigstens *einem* Menschen für gut befunden und von ihm geteilt wird. Es ist mir deswegen recht, daß Judith am Abend anruft und fragt, ob ich mit ihr ins Kino gehe. Es ist ein Film über Johann Sebastian Bach, sagt Judith, wahrscheinlich ist der Film schlecht, aber ich will ihn trotzdem sehen. Du kannst hingehen, wohin du willst, sage ich, ich komme mit. Judith lacht. Ich möchte in einem dunklen Kino eineinhalb Stunden lang deinen Geruch einatmen, sage ich. An diesem Abend geschieht ein Unglück, von dem ich erst einen Tag später erfahre. Sandra hat mich mit Judith gesehen. Sie war nach dem Ende ihres Kursabends mit zwei Amateurmalerinnen unterwegs, und dabei ist es passiert. Ich kann von Glück reden, daß Sandra nicht allein war, sonst hätte sie mich unmittelbar nach der Entdeckung »gestellt« (das ist Sandras Wort) und Aufklärung verlangt. Ich kann, zur Rede gestellt, nicht lange überlegen und erkläre: Die Frau, mit der du mich gesehen hast, ist eine Teilnehmerin meines letzten Seminars in der Schweiz.

Sandra stutzt und schweigt.

Ich greife nach dem erstbesten apokalyptischen Bildungsfetzen und sage: Die Frau will Privatunterricht auf einem Gebiet der Apokalypse, das während des Seminars von mir nur kurz gestreift worden ist.

Auf welchem Gebiet bitte? fragt Sandra.

Es ist die christliche Apokalypse, antworte ich unerträglich seriös, sozusagen das Urbild aller Apokalypsen, die Offenbarung des Johannes.

Worum geht es in dieser Offenbarung? fragt Sandra.

Die Offenbarung des Johannes ist eine Beschreibung vom Ende der Welt, sage ich. Alles Irdische geht seiner Vernichtung entgegen, und zwar auf ganz fürchterliche Art, die Menschen sind krank oder verrückt oder beides, an allen Grenzen herrscht Krieg, die Frauen sind oder werden unfruchtbar, auch in der Erde wächst nichts mehr. Von Tag zu Tag werden die Verhältnisse katastrophaler, aber dann, wenn das Leben praktisch unlebbar geworden ist, trifft Gott ein und schafft eine neue Welt, doziere ich.

Sandra hört zu und ist mißtrauisch.

Sogar die Gräber öffnen sich, sage ich, die Toten treten heraus und müssen sich vor Gott verantworten, und Gott urteilt, ob die Toten in der neuen, von ihm geschaffenen Welt leben dürfen oder ob sie mit der alten Welt untergehen müssen. Wer Glück hat und von Gott auserwählt wird, darf sein künftiges Leben unter den Seligen zubringen, zusammen mit Gott, der mitten unter den Auserwählten leben wird, für immer.

Warum hast du *mir* davon nie etwas erzählt? fragt Sandra.

Weil dich die Apokalypse nicht interessiert, das hast du immer wieder gesagt.

Und die Frau, diese Seminarteilnehmerin, interessiert die sich für Apokalypse?

Sogar sehr, antworte ich hilflos.

Was heißt sogar sehr?

Sie will die Offenbarung des Johannes komplett kennenlernen.

Was heißt das?

Ich erläutere ihr den Text, sage ich.

Ach so! Du hast dich schon öfter mit ihr getroffen?

Einmal in der Woche, meistens donnerstags.

Und was macht ihr konkret?

Wir setzen uns in ein Lokal und sprechen die Seiten durch, die sie in der zurückliegenden Woche gelesen hat.

Wie oft hast du sie schon getroffen?

Etwa fünfmal.

Und wie oft wirst du sie noch sehen?

Drei- oder viermal, dann sind wir durch.

Und sie bezahlt dich dafür?

Ja, sage ich.

Was kriegst du pro Abend?
Hundert, sage ich.
Ist die Frau wohlhabend?
Nicht besonders, vermute ich.
Und danach wirst du sie nicht mehr sehen?
Nein.

Wenn ich mich nicht täusche, ist Sandra von der Sicherheit meiner Antworten beeindruckt. Sie ist immer noch ein bißchen beunruhigt, aber im großen und ganzen schenkt sie mir Glauben. Ich komme mir ein bißchen widerlich vor und rede nur auf Aufforderung. Es ist klar, daß ich mit meinen Auskünften äußerst vorsichtig sein muß. Wie jeder Lügner überblicke ich meine Lügen nicht ganz. Zum Beispiel weiß ich nicht, ob Sandra auch gesehen hat, daß ich Judith nach einiger Zeit an der Hand genommen und daß ich während des Gehens gelegentlich den Arm um sie gelegt habe. Es ist möglich, daß Sandra mich in eine Falle lockt und wartet, bis sie mich beim Lügen ertappt. Wenn sie fragen würde: Und wie soll ich verstehen, daß du mit der Frau plötzlich intim geworden bist, wüßte ich keine Antwort. Aber offenbar habe ich Glück. Sandra scheint mich zwar gesehen, aber nicht verfolgt zu haben. Nach etwa einer Stunde läßt Sandras Mißtrauen nach, jedenfalls fürs erste. Ich fühle, sie ist nicht völlig überzeugt. Ein Rest Unbehagen bleibt. Schuldbewußt sitze ich da und lasse mich von Sandra unerträglich zwiespältig anschauen. Erst später fällt mir ein, daß mein Schweigen nicht zu meiner Unschuldsvermutung paßt. Aber da sitze ich schon am Telefon und frage Panik-Berater Dr. Ostwald nach der nächsten Therapiestunde.

Waren Sie in den letzten Tagen noch einmal auf dem Dach? fragt er dazwischen.

Ja.

Und? Haben Sie etwas entdeckt?

Ja, antworte ich, ein aufregendes Kind.

Gut, sagt Dr. Ostwald, bald werden Sie noch aufregendere Vorgänge beobachten.

Ich bin gespannt, sage ich routiniert.

Sie haben doch sicher ein paar nicht mehr ganz neue Dinge und Kleider, die Sie nicht mehr brauchen, die Sie aber auch nicht wegwerfen wollen?

Haufenweise, sage ich.

Also ich meine Schuhe, Pullover, Mützen, Hosen, die Ihnen zu klein geworden sind?

Natürlich, sage ich.

Und Sie haben außerdem einen kleinen Koffer oder eine Reisetasche, die Sie nicht mehr brauchen?

Ich weiß nicht wohin mit dem alten Zeug, sage ich.

Dann machen Sie bitte folgendes: Packen Sie einige der Kleidungsstücke, die Sie nicht mehr brauchen, in einen Koffer. Den gutgefüllten Koffer stellen Sie an einer belebten Stelle in der Stadt ab. Und beobachten Sie aus einiger Distanz, was mit Ihrem Koffer geschieht. Ob jemand Ihren Koffer mitnimmt oder ihn an Ort und Stelle leert oder sonstwas.

Etwa zehn Sekunden lang bin ich perplex. Ich weiß nicht, was ich fragen könnte.

Dr. Ostwald fragt: Können Sie das allein, oder soll ich mitgehen?

Nein nein, sage ich schnell, Sie müssen nicht mitgehen.

Gut, sagt der Panik-Berater. Am Abend rufen Sie mich an und sagen mir, was geschehen ist.

In Ordnung, mache ich. Das heißt, eine Frage noch: Was mache ich, wenn jemand meinen Koffer mitnimmt?

Sie machen nichts. Sie schauen dabei zu, wie etwas von Ihnen verschwindet.

Und wenn der Koffer stehenbleibt?

Dann machen Sie auch nichts. Sie betrachten den Koffer, solange Sie wollen, dann gehen Sie nach Hause.

Ja, gut, sage ich.

Ich führe aus, was mir der Panik-Berater aufgetragen hat. In meinem Schrank im Schlafzimmer liegt seit weiß Gott wievielen Jahren ein Managerkoffer, den mir Bettina einmal geschenkt hat. Da ich zum Glück kein Manager geworden bin, ist der Koffer so gut wie neu, wenn auch altmodisch. Im Schrankfach darüber liegen frisch gereinigte Hemden, die noch die Plastiküberzüge der chemischen Reinigung tragen. Zwei von ihnen packe ich in den Managerkoffer. Dazu ein paar sommerliche Mokassins, ebenfalls kaum benutzt. Und ein leichtes, beigefarbenes Sommersakko, das ich nur ein- oder zweimal getragen habe, weil ich es als zu kitschig empfand. Und drei Paar weiße Tennissocken, ebenfalls vom Kitschverdacht befallen. Ich zwänge noch zwei wollene Winterschals hinein, dann ist der Koffer voll. Auf dem Friedensplatz werde ich ihn abstellen. Der Platz ist mit Platanen bepflanzt, um einige von ihnen sind kreisförmig Bänke aufgestellt. Dort sitzen jeden Tag Ruhesuchende und Bedürftige, die vielleicht auf ein kleines Glück hoffen. Wenig später verlasse ich die Wohnung. Trotz der Wärme sind viele Menschen draußen. Unterwegs überlege ich, ob *ich* einen fremden Koffer mitnehmen würde. Vermutlich nicht. Außer einer Brieftasche habe ich niemals etwas mitgehen lassen. Damals war ich in Not und konnte nicht anders. Auf dem Friedensplatz steht der Vogelverkäufer. Es ist ein älterer Mann, der mit einer fahrbaren, senkrecht aufgestellten

Käfigwand in der Stadt herumtourt und Ziervögel verkauft, vor allem Sittiche, Nachtigallen, Finken und kleine Papageien. Der Vogelhändler ist ein bißchen heruntergekommen, auch seine Käfige sind nicht mehr gut gepflegt. Manchmal fliegen freche Tauben heran, klemmen sich von außen an die Käfige der Singvögel und picken zwischen den Käfigstäben hindurch, um an die Ziervögelnahrung heranzukommen. Der Vogelhändler vertreibt die Tauben nicht. Ich setze mich kurz auf die erstbeste Bank, stelle meinen Koffer neben mir ab, schaue ein bißchen umher und verschwinde wieder. Ich glaube, es hat mich niemand beobachtet. Ich lehne mich gegen eine Hauswand etwa vierzig Meter von meinem Koffer entfernt und beobachte, was geschieht. Ich vermisse meinen Koffer und die Sachen darin nicht. Eine gewisse Bewegtheit ist spürbar, ein inneres Ziehen, mehr nicht. Ich kann allenfalls sagen, daß meine allgemeine Tagesunruhe eine Spur zurückgegangen ist, seit ich den Koffer abgestellt habe. Ich warte neben einer Drogerie, das heißt neben einem Sonderangebot mit Waschlappen, das der Drogist in einer Wühlkiste nach draußen gestellt hat. Alle Waschlappen ähneln sich. Sie haben immer die gleiche Größe, sie sind weißlich bis vanillegelb, das heißt ungefähr seifenfarbig, sie stinken schon bald nach Gebrauch, und sie haben an der Öffnung links oder rechts einen Aufhänger, der nach einigen Wochen reißt, so daß jeder Waschlappen über dem Badewannenrand abgelegt wird und dort scheußlich ausschaut. Ich könnte eine Tirade über die Schädigungen loslassen, die mir in der Kindheit durch Waschlappen zugefügt worden sind, ich lasse es. Ein Behinderter kurvt mit seinem Elektromobil an einen Papierkorb heran, stoppt dort und führt per Handy ein Gespräch. Drei Motorradfahrer halten unter einer Platane, ziehen ihre schwarzen Helme ab und kaufen sich ein Eis. Zwei Krähen steigen in die riesigen Abfallkörbe hinab. Der Behinderte schiebt sein Handy zurück in seine Tasche und summt mit seinem Gefährt weiter. Eine Krähe flattert mit dem Rest einer Rindswurst im Schnabel aus dem Abfallkorb hervor. Schon nach kurzer Zeit ist zu sehen, daß alle Menschen erschöpft sind, alle, ohne Ausnahme. Durch ihre Mühe, die Erschöpfung nicht zu zeigen, kommt eine gewisse Inbrunst in die Welt, die gnadenreich und beseligend ist. Nur ganz wenige Menschen, Kellner zum Beispiel, dürfen sich trauen, die Erschöpfung öffentlich zu zeigen. Da setzt sich ein sogar übermäßig erschöpfter Mann mittleren Alters auf die Bank in unmittelbarer Nähe meines verlassenen Koffers. Er berührt mit dem rechten Hosenbein dessen rechte Seite. Die Absicht der Geste ist offenkundig: Man muß ihn für den Besitzer des Koffers halten. Schon jetzt könnte ich nicht mehr beweisen, daß es sich um meinen Koffer handelt. Wie der Mann durch die Art seines Umherschauens zeigt, daß er einen kleinen Diebstahl plant! Er hebt den Koffer leicht an, jetzt weiß er, daß er nicht leer ist. Ich nehme an, der Mann befindet sich im Zwiespalt. Es ist wunderbar: Im vollen Mittagslicht sehe ich einen Mann inmitten seiner Ratlosigkeit. Der Mann sieht nicht arm aus, aber ein paar neue Kleidungsstücke könnte er schon brauchen. Da steht er überraschend auf, packt meinen Koffer und geht weg.

Ich überlege kurz, ob ich ihn verfolgen soll, ich komme davon ab. Eine leichte Ergriffenheit zieht jetzt doch durch mich hindurch. Dein Koffer ist weg! Für immer! Ein kleiner Trost bleibt zurück: Es wird bald einen Fremden geben, der deine Hemden trägt. Meine Rührung wird stärker, es ist mir unangenehm. Ich verlasse den Friedensplatz und stelle mich in den Eingangsbereich eines Kaufhauses, wo eine Gruppe mongolischer Nomaden singt. Eine Art Wehmut packt mich. Es ist ein bißchen wie damals, als ich mich entschlossen hatte, Bettina zu verlassen. Gleich weise ich mich zurecht: Du kannst Bettina nicht mit einem Koffer voller ältlicher Kleidung vergleichen. Oder vielleicht doch? Ich hatte immer den Wunsch, daß das Gefühl von der Undurchschaubarkeit des Lebens endlich zurückgehen möge. Statt dessen nimmt dieses Gefühl noch zu. Ich kann meine Erfahrung nicht ausdrücken, ich lebe im unaussprechlichen Bereich. Die Mongolen singen vor dem Hintergrund leichtgekleideter Schaufensterpuppen. Sie selbst sind in dunkelfarbige Steppengewänder gehüllt, in trachtenartigen Monturen, die ihren Körpern eine gegenständliche Form verleihen. Ihr Gesang ist schön, nur nicht gerade passend für mich, weil der seltsam kehlige Singsang meine Rührung steigert. Zwei der Sänger bedienen primitive Zupfinstrumente, einer sitzt hinter einem mit Tierhaut bespannten Schlagzeug. Die gepreßten Stimmen der Männer sind fremd und einsamkeitserregend, ich kann sie nicht länger ertragen. Ich wende mich ab und gehe in Richtung U-Bahn-Station, muß aber vorher an einer alten Bettlerin vorbei, die ganz in schwarze Umhänge eingehüllt ist und ebenfalls vor leichtbekleideten Schaufensterpuppen steht. Eine knochige, gichtige Hand schaut aus einem schwarzen Ärmel heraus, die andere Hand ist auf einen Stock gestützt. Bettlerinnen dieser Art sind sonst nur in Portugal oder Sizilien zu sehen, aber die Frau kommt nicht aus dem Süden. Sie spricht mich auf deutsch an: Eine Spende bitte. In meiner gerührten Eile sage ich: Heute nicht! und weise mich kurz danach schon wieder zurecht:

Die Bettlerin hat jeden Tag Hunger, du kannst nicht Heute nicht! zu ihr sagen. Ich muß mich entlasten, ich kehre um und lege der Frau ein paar Münzen in die Hand. Die Kühle des U-Bahn-Schachts erleichtert mich endlich. Eine Bahn lasse ich weiterfahren, um mich noch ein bißchen länger abzukühlen. Die nächste Bahn ist voll, was mir recht ist, das Gedränge ist banal, wirklich und zerstreuend. Ich stehe auf der Plattform und bin einigen Menschen so nah, daß ich ihnen aus ganz kurzer Distanz in die Ohren schauen kann. An der nächsten Station steigt ein junger Mann mit einem alten Fahrrad zu. Ich betrachte den rissig gewordenen, fast schwärzlichen Ledersattel, er ist mindestens dreißig oder vierzig Jahre alt. In meiner Kindheit waren solche Ledersättel weit verbreitet, und sie sahen schon damals alt aus. Ich erleide einen Schweißausbruch, ich weiß nicht warum. Zum Glück muß ich nur noch zwei Stationen fahren, dann befinde ich mich wieder in der Kühle einer Haltestelle. Ich achte darauf, daß niemand mich dabei beobachtet, wie ich mir mit dem Taschentuch den Nacken auswische. Ich lege das Ohr an meine Seele, aber sie sagt mir nichts über die mögliche Bedeutung des Kofferexperiments. Oben, auf der Straße, sagt jemand das Wort Toastbrot. Aus Versehen verstehe ich Todbrot, aber ich denke mir nichts dabei. Außerdem verachte ich solche Winke mit dem Zaunpfahl. Noch auf der Straße wollte ich, wenn ich in meiner Wohnung sein würde, sofort den Panik-Berater anrufen. Jetzt, in meinem kleinen Arbeitszimmer, fasse ich das Telefon nicht an. Statt dessen spüre ich Hunger. Aber mein Eisschrank ist leer, der Brotkorb ebenfalls. Wenn ich mit einer Frau zusammenleben würde, gäbe es solche Pannen nicht. Durch das Hungergefühl weiß ich plötzlich, warum ich in der

U-Bahn einen Schweißausbruch hatte: Der alte Ledersattel hat mich an die Armut meiner Kindheit erinnert. Aus Hunger habe ich, als ich neun oder zehn Jahre alt war, an den Endstücken der Lederriemen meiner Hosenträger gekaut. Das Leder gab, wenn ich es lange genug gekaut hatte, einen eigentümlichen, süßlich-bitteren Saft frei, der den Hunger stillte und ein bißchen betäubend wirkte. Allerdings durfte ich nicht zu lange auf den Riemen kauen, weil der gleiche Saft dann einen Brechreiz hochlockte. Die Erinnerung schwächt mich. Ein neuer Schweißausbruch kommt über mich. Ich ziehe mein Hemd aus und trockne mich ab. Das ist das Dumme an Erinnerungen: eine einzige würde mir genügen, aber es überfallen mich gleich Dutzende. Als ich zwölf war, kaufte Vater eine Haarschneidemaschine. Es war ein kleiner Handapparat in einer braunen Schachtel. Vater hatte die Maschine bei Woolworth gekauft, weil er das Geld für meine Kinderhaarschnitte sparen wollte. Er schob einen Stuhl in die Mitte der Küche und sagte, ich solle Platz nehmen. Vater war kein Friseur, er schnitt einfach alles ab, was ihm verzichtbar erschien. Nur oben, auf der Kopfplatte, ließ er ein paar Wuschel stehen. Ich sah aus wie ein unter einen Güterzug geratener Sioux-Indianer. Es war Vater egal, daß schon am nächsten Morgen in der Schule jeder mir ansah, daß sich ein grotesker Nichtskönner an mir zu schaffen gemacht hatte. Die Schmach zittert nach so vielen Jahren erneut durch mich hindurch. Hätte ich doch in der U-Bahn nicht so lange auf den alten Fahrradsattel gestarrt! Ich schaue in den Spiegel und überzeuge mich, daß ich heute anders aussehe. Aber leider gefalle ich mir auch heute nicht. Mein feuchtes Haar klebt eng am Schädel und gibt mir das Aussehen eines Bademeisters oder Pförtners. Erneut werfe ich mir vor, daß ich mich nicht gegen Vater erhoben habe. Er pupte auch am Tisch, sogar während des Essens. Er hob kurz den Hintern, ließ einen Furz entweichen und aß weiter. Mutter gab mir sonntags am Mittagstisch mit Blicken den Auftrag, gegen den furzenden Vater vorzugehen. Ich sah das Flehen im Gesicht der Mutter, aber ich traute mich nicht, meine Kräfte waren zu schwach und meine Feigheit zu groß. Das wiederkehrende Gefühl des Versagens ist auch jetzt nicht annehmbar. Ich gehe auf die Toilette und will es kotzend loswerden, aber es bleibt bei mir. Es kommt nie etwas, das Gefühl der feigen Scham hat sich in mir eingekörpert, es wird mich nie wieder verlassen. Erneut schaue ich in den Spiegel und senke kurz den Kopf. Der Katastrophenbefallene nickt seiner Katastrophe zu, mehr ist nicht zu machen. Da klingelt das Telefon. Es ist Judith. Ich sage ihr, daß ich mich nicht gut fühle, und sie fragt, ob sie mich besuchen und mir helfen soll. Nach dreißig Minuten ist sie da. Sie hat sich einen neuen, breitkrempigen Strohhut gekauft. Auf der linken Seite des Hutes sind zwei dunkelrote Glaskirschen und ein blaues Band befestigt. Judith sieht wunderschön aus, ich muß sie immerzu anschauen. Durch den Hut dringt der Sommer sogar in meine Wohnung ein. Judith macht mir einen Kamillentee und schält mir eine Orange. Sie sagt, ich soll mich ein wenig hinlegen, ich folge. Sie setzt sich zu mir wie an das Lager eines vorübergehend Erinnerungskranken. Ich trinke Tee und esse den Zwieback, den Judith mitgebracht hat, genau wie die Orange. Judith nimmt den Hut nicht ab. Es ist, als wüßte sie, daß ich sie niemals verlassen kann.

Am nächsten Vormittag rufe ich Dr. Ostwald an und erzähle ihm, wie der Kofferausflug verlaufen ist. Wahrheitsgemäß gebe ich zu, daß ich ein wenig ergriffen war.

Mehr nicht? fragt er.

Mehr nicht, sage ich.

Hatten Sie keinen Einfall, keine Idee, irgend etwas?

Nein, tut mir leid, nichts. Ich warte, daß er zu einer Erklärung anhebt, aber er sagt nichts.

Wollen Sie mir nicht sagen, frage ich dann, wozu dieses Experiment gut sein soll?

Noch nicht, sagt Dr. Ostwald, erst später.

Und wie soll es jetzt weitergehen?

Sie haben doch bestimmt noch einen alten Koffer und noch ein paar ältere Sachen, die Sie nicht mehr tragen?

Habe ich.

Dann wiederholen Sie bitte das Kofferexperiment.

Es entsteht ein Schweigen, das Dr. Ostwald dann unterbricht: Ich spüre Ihre Reserve.

Ich bin ein dem praktischen Leben zugewandter Mensch, sage ich, deswegen käme ich mir unredlich vor, wenn ich meine Vorbehalte gegen Ihre Therapie verschweigen würde.

Ich verstehe Sie sehr gut, sagt der Panik-Berater, und ich will Sie auch nicht unnötig auf die Folter spannen. Können wir so verbleiben: Sie wiederholen bitte den Kofferausflug, danach bin ich gesprächiger?

Na gut, mache ich.

Ich besitze tatsächlich noch einen weiteren alten Koffer, den Koffer meiner Mutter, den ich seit etwa dreißig Jahren mit mir herumschleppe. Ich hole ihn vom Schrank herunter und beuge mich über ihn, wie ich mich früher über die Mutter gebeugt habe. Es entströmt dem Koffer immer noch der Muttergeruch, wenn auch schwach. Ich verpacke zwei paar Schuhe, zwei sehr gut erhaltene Hosen (zu eng geworden), ein Sakko (ebenfalls zu eng), eine Winterjacke, vier Hemden und zwei Pullover. Gegen Mittag ist das Haus vollkommen still. Unangenehm leise und ein wenig unbehaglich verschwinde ich in Richtung U-Bahn-Station. Ich gehe wieder zum Friedensplatz. Es ist ein bißchen sonderbar, daß ausgerechnet ein Mensch wie ich, den die Angst vor Armut und Hunger nie wirklich verlassen hat, kofferweise Kleidung wegträgt. Ich stelle wie voriges Mal den Koffer ab und suche mir danach einen Stehplatz an einer Hauswand. Genau zwischen einem Fischgeschäft und einem Brautmodenladen bleibe ich stehen. Die Türen der Geschäfte sind geöffnet. Von links dringt deutlicher Fischgeruch zu mir, von rechts der sanftere Duft noch unbenutzter Brautwäsche. Es hat mir immer gut gefallen, daß Männer und Frauen bei der Ausübung der Liebe hinterher ein bißchen nach Fisch riechen. Und Mann und Frau nicht recht wissen, ob es der Same des Mannes oder das Sekret der Frau ist, was riecht. Ist es nicht zum Lachen eigenartig, daß bei den Vorgängen der Liebe der Gestank der Menschheit entsteht, an dem hinterher niemand schuld sein will? Kinder gehen vorüber und zeigen deutlich ihren Ekel vor dem Fischgeruch. Kleine Mädchen betrachten die Brautkleider und kichern. Nur vorüberstreifende Hunde sind gleichgültig und empören sich über nichts. Da sehe ich einen Mann, der sich für meinen Koffer interessiert. Er ist ungefähr vierzig Jahre alt und trägt einen Sportsack auf dem Rücken. Nach meiner Einschätzung wird er den Koffer gleich abtransportieren. Aber ich täusche mich. Der Mann hebt den Koffer auf die Bank und öffnet ihn. Mit schnellen Bewegungen untersucht er den Inhalt. Die vier Hemden und die

Hosen legt er auf die Seite. An den Pullovern und der Winterjacke ist er offenbar nicht interessiert. Das Sakko schlägt er auseinander und zieht es an. Ich bin perplex. Ich sehe einen Fremden mit meiner Jacke. So sieht etwas von dir aus, wenn es nicht mehr dir gehört. Ich betrachte mein Sakko und »gebe« es »auf«. Ich bin ein wenig belustigt beziehungsweise ratlos beziehungsweise verstört. Aus seinem Sportsack zieht der Mann zwei ordentlich zusammengelegte Plastiktüten hervor und faltet sie auseinander. In eine der Tüten steckt er die beiden Hosen, in die andere die vier Hemden. Dann schließt er den Koffer und stellt ihn auf den Boden zurück. Der Fremde geht weg. Ich kann nicht anders, ich laufe ihm eine Weile hinterher. Mehrmals flüstere ich den gleichen Satz: Da geht einer mit deiner Jacke! Erstmals denke ich: Soll mich das Kofferexperiment auf mein eigenes Verschwinden aufmerksam machen? Die Schlichtheit der Botschaft irritiert mich. Oder will mich Dr. Ostwald auf den Arm nehmen? Neben mir hebt eine Frau beide Arme und schaut nach, ob sie transpiriert. Zwei junge Angestellte lachen viel zu laut. Bei einem geht das Lachen in ein Husten über, der andere verstummt. Ich verliere die Lust an der Verfolgung des Fremden. Eine halbe Minute bleibe ich stehen und schaue dabei zu, wie mein Sakko zwischen den Passanten mehr und mehr abtaucht/untergeht/verschwindet. Eine Minute lang weiß ich nicht, was das Leben von mir will. Oder ist es mal wieder soweit, daß ich irgend etwas Offenkundiges nicht begreife? Ich empfinde Heimweh nach irgend etwas, betrete ein Bistro und bestelle eine Portion Spaghetti Bolognese. Aus einem kleinen Radio ertönt das Lied ›Wenn mein Schatz Hochzeit macht‹ von Gustav Mahler. Obwohl ich noch gestern dachte, ich würde entweder Sandra oder

Judith verlassen, habe ich jetzt das Gefühl, ich selbst sei/ bin der Verlassene. Eine magersüchtige Kellnerin bringt die Spaghetti an meinen Stehtisch. Draußen geht ein leichter Sommerregen nieder. Die Spaghetti duften angenehm und schmecken ausgezeichnet. Ein heruntergekommener Mann betritt das Bistro und bettelt zuerst die Kellnerin und dann die Gäste an. Er wird von allen abgewiesen, die Leute hören ihn nicht einmal an. Weil ich mein dummes Heimweh vergessen will, greife ich nach einer liegengebliebenen Zeitung und lege sie neben meinen Teller. Der Mann kommt zu mir, ich zittere ein bißchen, weil ich nicht weiß, was ich machen soll. Ich fingere in meiner Hosentasche herum, aber das bißchen Kleingeld, das ich dort gerade finde, ist für einen Mann in seiner Lage nur eine weitere Demütigung. Plötzlich frage ich den Mann, ob er meine so gut wie unberührten Spaghetti zu Ende essen möchte. Der Mann ist sprachlos, ich auch, etwa vier Sekunden lang. Der Mann macht ein gepeinigtes Gesicht, ich vermutlich ebenfalls.

Die Spaghetti sind sehr gut, sage ich dann, ich meine es nicht im geringsten herablassend, im Gegenteil, ich bin nur schon satt und will nicht, daß die Bedienung die Spaghetti in den Abfall schüttet, das wäre zu schade.

Ich spüre den Druck zwischen meinen Gesten und meinen Sätzen, ich halte es für möglich, daß der Mann gleich ausholt und mir ins Gesicht schlägt, aber dann sehe ich, daß er dazu zu schwach ist. Er geht zur Theke und holt sich Besteck, er kehrt zurück, ich verlasse mit einem verlegenen Kopfnicken den Stehtisch, der Mann übernimmt meinen Teller. Ich bin ein wenig erregt beziehungsweise eingeschüchtert beziehungsweise von mir selber überfordert. Ich nehme an, der Mann will mich keine Sekunde länger als nötig in seiner Nähe haben. An der Tür bleibe ich stehen und schaue in den Regen hinaus. Eine Mutter mit Kind und Kinderwagen bleibt stehen und holt aus dem Gepäckfach des Kinderwagens ein Regencape heraus. Sie faltet das Cape auseinander und spannt es über Kind und Kinderwagen. Als ich das Kind unter dem Plastiküberzug verschwinden sehe, dichte ich ihm ein übles Erlebnis an: Es leidet unter der Enge und der schlechten Luft unter dem Cape, es hat keinen Sichtkontakt mehr zur Mutter, es fühlt sich verlassen, vielleicht besteht sogar Erstickungsgefahr! In Wahrheit winkt das Kind vor meinen Augen fröhlich unter dem Cape hervor und improvisiert hinter seiner Verhüllung ein kleines Kasperletheater. Ich bin perplex, verdutzt, erleichtert: Das Kind enthüllt meine cholerischen Phantasien. Ich schaue dem Theater des Kindes ein paar Sekunden lang zu. In meiner Verblüffung gelingt es mir zum ersten Mal, die Todesangst vom bloßen Todesangsttheater zu trennen. Es ist, als trete ich aus einer sommerlichen Verwirrung hervor. Mein moralischer Hitzschlag läßt endlich nach. Schon wenige Sekunden später verstehe ich nicht mehr, wie ich mich wochenlang damit abquälen konnte, ob ich mich für Sandra oder Judith »entscheiden« soll. Ich werde weder Sandra noch Judith verlassen, ich bekenne mich zum Durcheinander des Liebeslebens und zu dessen Endgültigkeit, es bleibt alles, wie es ist und war. Es ist ein gutes Zeichen, daß Sandra nicht wieder auf ihr Heiratsangebot zu sprechen kommt. Sie wird auf ihre verläßliche Weise gefühlt haben, daß ihr Plan, obwohl er mir im Alter tatsächlich helfen würde, nicht zu meinem Glück beiträgt. In diesem Riß verbirgt sich meine nicht beherrschbare Widerspenstigkeit, und ich rechne es Sandra hoch an, daß sie diese nicht länger zu bändigen versucht. Ihre Idee wandert, wie so viele andere, in das Archiv der guten Absichten und verfällt dort dem allgemeinen Lebensschwund. Um ein großes Liebesunrecht (entweder an Sandra oder Judith) zu vermeiden, nehme ich laufende kleine Verstöße gegen die Ethik (die Untreue) stillschweigend in Kauf. Es beglückt mich, daß ich zu dieser Überlegung fähig bin. Sie läßt mich zitternd, aber zufrieden als Überlebenden der Liebe zurück. Es ergreift mich eine gehobene Trauer, die durch ihre Leichtigkeit in ihr Gegenteil übergeht. So verwandelt sich die Todesangst in eine sich unbemerkt nähernde Sterblichkeit. Dabei fühle ich mich von der dichten Nähe meiner Gefühle bereits belästigt. Ich bin derartige innere Tumulte nicht gewöhnt. Am liebsten möchte ich irgendwo sein, wo es extrem bedeutungslos zugeht. Der Regen läßt schon wieder nach und verwandelt sich in ein leichtes Tröpfeln. Ich verlasse den Friedensplatz und gehe in Richtung Flußufer. Meinen neben der Bank zurückbleibenden Koffer habe ich schon vergessen. Eine weitere Wiederholung des Kofferexperiments ist nicht mehr nötig. Durch das sanfte Hineingleiten in die Sterblichkeit ist die Frage, ob ich eine oder zwei Frauen liebe, belanglos geworden. Es wird mir ein wenig feierlich zumute, indem ich immer mehr von meinem rasch älter werdenden Konflikt zurücktrete. Ich überlege, ob ich nachher zuerst Sandra oder Judith anrufen werde. Nie zuvor war mir die irdische Seligkeit dieser Frage deutlicher als jetzt. Die Verwirrung legt sich, ich kann wieder richtige Sätze denken. Ich schließe daraus, daß ich meine Entscheidung überlebt habe. Am Flußufer spielt eine abgehalfterte Popgruppe auf einer Bühne. Um die Bühne herum sind ein paar Holzbänke, Tische und Sonnenschirme aufgebaut, außerdem eine Pommesbude und ein Bierausschank. Die Stadtverwaltung nennt dieses jährlich im Sommer wiederkehrende Angebot ein »Kulturprogramm für Daheimgebliebene«. Einzelne vereinsamte Kinder und Männer mit Biergläsern in der Hand suchen sich einen Platz unter den Sonnenschirmen. Ein paar Rentner wanken herbei und lassen sich stöhnend auf die Bänke sinken. Eine Handvoll Obdachlose kommen mit ihren verwahrlosten Frauen und Hunden dazu. Es entsteht ein Bild wie *nach* der Apokalypse: Die Überlebenden müssen beruhigt werden. Ich gehöre zu ihnen, ich lehne mich gegen einen Baum. Die Musik ist laut und mittelmäßig, aber die Leute sind froh, daß es außer dem Verkehrslärm, den Polizeisirenen und dem Gedröhn der Flugzeuge noch etwas anderes zu hören gibt. Ich erhole mich von den Resten meiner Liebesmilitanz, bis ich sie nicht mehr spüre. Mir gefällt meine wirre Schweigelust und das Herumstehen in der öffentlichen Belanglosigkeit.

Wilhelm Genazino
im Carl Hanser Verlag

Ein Regenschirm für diesen Tag
Roman
2001. 176 Seiten

»Dieses wunderlich-poetische, irr-witzig komische kleine Buch, das diskret durchzogen ist von anspruchsvollster Reflexion über die Entstehung von Wahrnehmung, Erinnerung, Lust und Unlust, stellt – immer ironisch parteilich für die Gestrandeten, Verrückten und Verlierer – eine einzige ›Unterlaufung‹ der Erfolgsgesellschaft mit ihrer Freizeit-Abrichtungsindustrie dar: Es gibt allen Grund, Wilhelm Genazino zu entdecken.«

Andreas Nentwich, *Die Zeit*

»*Ein Regenschirm für diesen Tag* ist ein Buch, das den Lebenszweifel und die Schwermut federleicht serviert: lebensklug, ironisch, sprachlich brillant.«

Hubert Spiegel, *FAZ*

»Er hat eine Leichtigkeit erreicht, mit der er auch die schwere Not hintuschen kann, als wäre es auf japanisches Papier. In der Tat gibt es kaum einen subtileren Komödianten unter den heutigen Erzählern als Genazino.«

Peter von Matt, *Der Spiegel*

»Das Allerschwerste wird hier mit den allerleichtesten Sätzen gestemmt. Seine heitere Melancholie verheißt Rettung im Paradox.«

Andrea Köhler, *NZZ*

Eine Frau, eine Wohnung, ein Roman
2003. 160 Seiten

»Ein wahres Juwel und wohl das Beste, was Genazino je geschrieben hat: Eine gelungene Mischung aus ironisch funkelndem Künstlerroman, aus zarter, untergangsgeweihter Liebesgeschichte und aus einer suggestiven Vergegenwärtigung der frühen sechziger Jahre ... frisch und beschwingt.« Uwe Wittstock, *Die Welt*

»Wilhelm Genazino erzählt mitreißend vom Erwachsenwerden. Genazino ist der große, stille Chronist der Bundesrepublik. Der schweigsame Träumer aus Heidelberg erweist sich auch in diesem Buch als einer der stärksten deutschen Erzähler.« Volker Hage, *Der Spiegel*

»Was für ein mit Anspielungen an die Weltliteraturgeschichte aufgeladenes Pensum, und wie sanft und unscheinbar, fast beiläufig wird es erledigt.«
Reinhard Baumgart, *Die Zeit*

»Manche Sätze möchte man sich wie Glücksbringer in die Jackentasche stecken.«
Natascha Freundel, *Berliner Zeitung*